Ar Blaned Arall

Dafydd Meirion

Argraffiad cyntaf: 2004

ⓗ *Dafydd Mairion*

Cyhoeddir o dan gynlliun comisiwn
Cyngor Llyfrau Cymru.

Rhif Llyfr Safonol Rhyngwladol:
0-86381-924-9

Clawr: Sion Ilar, Adran Ddylunio Cyngor Llyfrau Cymru

Argraffwyd a chyhoeddwyd gan Wasg Carreg Gwalch,
12 Iard yr Orsaf, Llanrwst, Dyffryn Conwy, LL26 0EH.
☎ *01492 642031*
🖷 *01492 641502*
✆ *llyfrau@carreg-gwalch.co.uk*
Lle ar y we: www.carreg-gwalch.co.uk

Dychmygol yw holl gymeriadau
a digwyddiadau'r nofel hon.

1

'Mi ro i gant naw deg biliwn o ddoleri i chi.' Agorodd llygaid prif swyddog NASA led y pen. Tyrchodd J P Jones i boced ei got a thynnu llyfr siec allan. 'Cant naw deg biliwn doler. Mi dalith hynny am y daith i ddau yn ôl ac ymlaen i Delta Equinox.'

Planed oedd Delta Equinox a ddarganfuwyd rai misoedd ynghynt. Roedd swyddogion NASA eisoes wedi derbyn negeseuon oddi yno – ac un llun, aneglur, a ddangosai greaduriaid tebyg i bobol arni. Roedd y blaned newydd rai biliynau o flynyddoedd-golau i ffwrdd a than yn ddiweddar mi fuasai hi'n amhosib mynd yno mewn oes dyn. Ond roedd gwyddonwyr yn y Swistir wedi darganfod dull o symud yn gyflym iawn, iawn drwy'r gofod. Ar ddarn o bapur yn Zurich roedd cynlluniau ar gyfer cerbyd allai deithio drwy'r gofod ar donfeddi radio, ac roedd rhywun yn un o'r cylchgronau gwyddonol wedi gwneud ei syms ac wedi gweithio allan y gellid teithio i Delta Equinox mewn pum mis. Ond roedd NASA'n brin o arian. Roedd cyllideb America i gyd yn mynd ar arfau a systemau diogelwch i geisio cadw terfysgwyr – gwir a dychmygol – allan o'r wlad.

A dyna pam fod J P Jones yn eistedd o flaen prif swyddog NASA. Roedd JP wedi gadael Caernarfon rhyw ddeg mlynedd ar hugain yn ôl ac wedi gwneud sawl ffortiwn mewn prynu a gwerthu strip-joints a chasinos yn rhai o brif ddinasoedd America. Roedd sawl dynes wedi'i adael a doedd ganddo'r un plentyn y gallai adael ei arian iddo. Roedd wedi bod yn chwilio am rywbeth i'w wneud â'i arian ers rhai blynyddoedd.

'Cant naw deg biliwn o ddoleri, Mr Jones? Mae hynna'n dipyn o arian,' meddai'r swyddog gan grafu'i ên. 'Mae hyn yn beth anarferol iawn. Yn sicr, mi fyddai hyn yn talu am y daith, ond . . . mi fyddai raid i mi gael gair â'r Tŷ Gwyn . . . yr Arlywydd . . . gyntaf . . . '

Torrodd JP ar ei draws. 'Mae yna un amod.'

Edrychodd y swyddog yn syn arno.

'Mai hogia o Gaernarfon fydd ar y llong ofod fydd yn mynd i Delta Equinox.'

*   *   *

Wedi iddo dderbyn yr alwad gan yr Arlywydd a hwnnw'n ddiolchgar o'r cynnig, roedd JP ar ei awyren yn hedfan am Gymru. Glaniodd yr ecseciwtif-jet ar lain maes awyr Dinas Dinlle a bu gweld y Ddraig Goch yn cyhwfan uwchben y tŵr rheoli yn ddigon i ddod â lwmp anferth i'w wddw. Roedd Draig Goch hefyd ar y limwsîn du a arhosai amdano. Camodd dyn yn ei lifrai allan o'r car a salwtio JP.

'Dic Pry. Sud wyt ti, cwd?'

Edrychodd y gyrrwr yn syn. Yna lledodd gwên ar draws ei wyneb. 'John . . . John Cachu Iâr!'

Camodd JP tuag ato. 'J P Jones. John . . . neu Mr Jones hyd yn oed,' meddai JP â'i drwyn yn dynn wrth un Dic. 'Dallt?'

Oedd, roedd Dic yn dallt. Roedd Dic yn yr ysgol yr un pryd â JP ac yn cofio'n iawn fel roedd hwnnw'n drewi o gachu ieir bob bore gan fod ei fam yn mynnu bod yn rhaid iddo fynd i nôl wyau'r pedair iâr oedd ganddyn nhw yng ngwaelod yr ardd cyn mynd i'r ysgol. Roedd rhaid, hefyd, i JP fynd â nhw at y cwsmeriaid ar y ffordd i'r ysgol ac yna carthu'r cwt cyn dechrau'i waith cartref wedi dychwelyd, os ei wneud o gwbwl. Ond mi dalodd hyn ar ei ganfed. Dyma oedd profiad busnes cyntaf JP. Ac yn wir, pan nad oedd ond deuddeg oed, mi gynilodd JP ei arian poced i brynu cyw twrci ac wedi i hwnnw besgi erbyn y Dolig, ei werthu'n dameidiau i dlodion y dre oedd yn methu fforddio twrci cyfan. Gwerthwyd y plu, hefyd, i'r hogiau i wneud hetiau Indians a phrynodd yr hen Meri Huws y traed i wneud teclyn dal cotiau yn y lobi. Roedd JP wedi gwerthu'r pig i Taid Nebo i lanhau ei getyn ond mi fu farw hwnnw'n sydyn yn y chwarel cyn iddo allu talu amdano.

Beth bynnag, gan na châi fawr o amser i wneud ei waith cartref, chafodd JP fawr o hwyl yn yr ysgol. Methodd yr ilefnplys a'r cownti a siom fawr i'w fam oedd gorfod mynd â fo at Ned Tai Rhent i ofyn oedd ganddo waith i hogyn pymtheg oed fel handi-man. Roedd Ned yn berchen ar hanner dwsin o dai digon sâl yn y dre ac roedd hi'n anodd iawn iddo allu cadw'r tai mewn cyflwr derbyniol gan ei fod yn treulio'r rhan fwyaf o'i amser yn y tafarnau.

Gwaith JP oedd trwsio ffenestri, rhoi washars ar dapiau a dal ambell lygoden fawr. Er na ddefnyddiodd JP fawr ar ei ymennydd yn yr ysgol, mi ddechreuodd yr olwynion a'r cogiau droi o'r diwedd a hynny o weld faint o arian roedd Ned yn ei wneud. Roedd rhai o'r tenantiaid mor falch o waith JP fel nad oedden nhw'n rhy flin pan ddywedai wrthyn nhw fod eu rhent yn codi dair ceiniog yr wythnos oherwydd bod cyflwr y tŷ'n llawer gwell erbyn hyn. A chan mai anaml iawn y deuai Ned allan o'r tafarnau, JP fyddai'n casglu'r rhent gan gadw'r codiadau. O fewn dim, roedd wedi prynu eiddo ei hun ac yn casglu rhent. Aeth un tŷ'n chwech ac mae'n siŵr mai prynu hanner Caernarfon fyddai tynged JP pe na byddai wedi dod ar draws Victor Barrel.

Sais canol oed oedd Vic Barrel, a phethau prin iawn oedd y rheiny'n y dre'r adeg hynny. Daeth JP ar ei draws pan ddaliodd o Vic yn eistedd ar soffa Linda Lastig Llac a'i drowsus dan ei bengliniau. Mae'n amlwg mai Vic a dalai'r rhent, ac o dipyn i beth daeth JP a Vic yn hen lawia. Un o'r pethau cyntaf oedd Vic wedi'i ddarganfod wedi iddo gyrraedd Caernarfon oedd pa mor anodd oedd cael peint ar ddydd Sul. Doedd ganddo ddim gobaith mul cael ymuno â'r British Legion gan mai gwerthu sanau neilon fuodd o adeg y rhyfel yn hytrach na lladd

Jyrmans.

Un noson, roedd y ddau'n eistedd ar soffa Linda yn gwylio honno'n ei blwmars yn smwddio'i sgert yn barod i fynd allan, pan drodd Vic ato. Syniad oedd gan Vic. Agor clwb. Clwb yfed fyddai ar agor, nid yn unig ar ddydd Sul, ond hefyd wedi tri pan fyddai tafarnau'r dref wedi cau. Gallai JP weld mantais o hyn yn syth ac wedi i Vic Barrel egluro iddo fod ar un adeg â siâr mewn clwb tebyg ar gyrion Manceinion, seliwyd y fargen yn syth. Roedd y ddau am ddechrau clwb yfed yng Nghaernarfon.

Roedd yna hen warws flawd yng nghanol y dref oedd wedi bod yn wag ers blynyddoedd a chan fod JP wedi gwerthu'i dai i chwaer Ned Tai Rhent, oedd hefyd wedi prynu tai ei brawd wedi i hwnnw fynd yn rhy chwil i edrych ar ôl ei fusnes, roedd ganddo fwy na digon i dalu am hanner yr adeilad. Doedd Vic chwaith ddim yn brin o geiniog, ac yn well fyth roedd ganddo gysylltiadau â'r farchnad gwrw yn ardal Manceinion. Vic archebai'r cwrw tra byddai JP yn ei werthu. Yr unig broblem oedd mai anaml iawn y ceid yr un math o gwrw. Un wythnos llwyth o gwrw mwyn, yr wythnos wedyn lagyr. Ond gan fod y cwrw'n rhatach a'r oriau'n hirach, heidiai lyshwrs y dref i'r *Jacaranda Leisure Club*. A phan ddechreuodd Linda dynnu amdani bob nos Sul ar lwyfan bychan yng nghornel yr adeilad, bu raid ymestyn y clwb i'r hen gapel Wesle drws nesa.

Ond er bod arian yn llifo i goffrau'r clwb, roedd gormod ohono'n aros ym mhoced Victor Barrel. Ar y dechrau roedd JP yn berffaith hapus â'r hyn roedd o'n ei dderbyn; doedd hyn yn llawer mwy nag a gâi o renti tai? Ond un noson, a'r alcis i gyd wedi gadael, eisteddai wrth y bar yn cyfri arian y dydd. Tynnodd bensel o'i boced a dechreuodd wneud syms. Doedd dau a dau ddim yn gwneud pedwar. Yn amlwg, roedd Vic Barrel yn elwa llawer mwy o'r *Jacaranda* nag roedd JP. O hyn ymlaen, yn hytrach na rhoi'r arian yng nghyfri banc y clwb, o ble byddai'n cael ei rannu rhwng y ddau bob tri mis, agorodd JP gyfri arall ac âi'r arian i gyd i hwnnw. Ar ddiwedd y tri mis cyntaf, yn ffodus, roedd Vic ar ei wyliau yn Sbaen efo Linda, ac erbyn diwedd y chwe mis roedd celc reit dda yn ail gyfri banc y clwb.

Roedd JP yn stocio'r bar un bore pan gerddodd Vic Barrel i mewn. Chafwyd mo'r cyfarchiad arferol ynglŷn â chyflwr ei dwlsyn. Camodd Vic ato a chydio'n ei dei. Tynnodd o ato nes roedd aeliau'r ddau'n cyffwrdd. Cafodd JP ei gyhuddo o ffidlo. Doedd neb yn ffidlo Victor Barrel. Gwadodd JP bob dim. Roedd yr arian mewn cyfri arall am fod y banc hwnnw'n talu gwell llog, meddai. Doedd Vic ddim wedi'i foddhau â'r eglurhad ac er mwyn pwysleisio pa mor o ddifri roedd o, aeth i boced ei drowsus a thynnodd wn allan. Rhoddodd Vic amcangyfrif o faint o arian oedd ar goll ynghyd â rhybudd y byddai'n dychwelyd ddiwedd dydd i'w nôl.

Gollyngwyd tei JP a cherddodd Vic allan. Eisteddodd ar gasgen wag am eiliad i gael ei wynt ato. Yna, cerddodd at y drws. Doedd dim golwg o Jag ei bartner. Caeodd ddrws y clwb ar ei ôl, rhoddodd dro i'r goriad a cherdded ar frys i gyfeiriad y banc. Mynnodd weld y rheolwr ac eglurodd fod rhaid iddo gael ei arian allan ar frys. Y gorau y gallai'r rheolwr ei wneud oedd ei gael yn barod iddo erbyn diwedd bancio'r dydd. Cytunodd JP ond welodd o mo law'r rheolwr yn estyn ato i gael ei hysgwyd. Camodd allan o'r banc ac yn syth am swyddfa Huws y twrna. Roedd Huws yn un o selogion y *Jacaranda* ac o fewn dim roedd JP wedi neidio'r ciw ac yn eistedd o flaen desg dderw enfawr.

Dechreuodd Huws fân siarad ond daeth JP yn syth at y pwynt. Roedd o angen gadael yr ardal ar frys. Roedd o eisiau ei gyfran o'r clwb. Roedd o eisiau i Huws sicrhau y câi o'r arian hwnnw. Cytunodd Huws – am ffi sylweddol, ond doedd gan JP fawr o ddewis.

O fewn teirawr i gael ei arian o'r banc roedd JP ym maes awyr Manceinion ac ar ei ffordd i America.

* * *

Arhosodd y car du hir y tu allan i westy ar gyrion Caernarfon. Hwn oedd y gwesty gorau yn yr ardal ond roedd rhai sêr yn brin o'r hyn roedd JP wedi arfer ag o. Neidiodd Dic Pry allan a dal y drws yn agored cyn dilyn JP i mewn. Gorchmynnwyd Dic i aros. Doedd JP ond eisiau taro dŵr dros ei wyneb ac yna mynd draw i weld yr hen dref. Gwthiai'r car hir drwy strydoedd culion Caernarfon a châi Dic orchymyn bob hyn a hyn i aros. Ambell dro eisteddai JP yn y car yn llonydd-synfyfyrio. Dro arall âi allan o'r car. O'r diwedd, wedi cyrraedd y cei, cafodd Dic orchymyn i barcio'r car. Aeth y ddau i mewn i dafarn yr *Anglesey* ac archebodd JP beint o fityr iddo'i hun a lemonêd i Dic. Tyrd allan, mae hi'n noson braf, meddai ac aeth y ddau i eistedd ar y wal.

'Lle fysa ti'n deud mae . . . mae hogia gorau Caernarfon, Dic?'

'Yng Nghaerdydd, John. Mae pawb yn mynd i Gaerdydd i weithio'r dyddia yma.'

'Be, oes 'na neb ar ôl yn dre rŵan?'

'Oes, oes. Mae 'na rei gweddol gall yn gweithio'n y cownsul offisus.'

'Sut dîm ffwtbol sydd 'ma?'

'Ciami, John. Ciami uffernol, ac ma'u hannar nhw'n dod o Lerpwl. Mae 'na dîm rygbi go-lew yma.'

'Rygbi? Doedd 'na ddim rygbi yma erstalwm, 'blaw am gocia ŵyn Cownti Sgŵl.'

'Na, mae'r rhan fwya o hogia dre'n chwara rygbi rŵan, ac maen nhw'n cael hwyl arni hefyd.'

'Oes ganddyn nhw gae yma?'

'Oes . . . a chlwb hefyd. Mi fyddan nhw'n trênio nos fory. Sgen ti awydd mynd draw i'w gweld nhw?'

'Iawn. Tyrd i nôl i i'r hotel am saith ac mi awn ni draw.'

*   *   *

Roedd JP a Dic Pry ar Gae'r Morfa am hanner awr wedi saith i weld tîm rygbi Caernarfon yn hyfforddi.

'John Cach . . . John Jones ydy hwn,' meddai Dic wrth un o gyfarwyddwyr y clwb oedd yn bygwth gwae ar rai o'r rhai salaf ar y cae. 'O . . . o Merica.'

Trodd y cyfarwyddwr at JP. 'Wel, howdi dder, partnyr,' ac estynnodd ei law allan.

'Su'mai,' atebodd.

'Rarglwydd, Cymro wyt ti!'

'Ia, o'r dre 'ma. Wedi gadael ers deng mlynadd ar hugian. Dwi'm yn dy gofio di chwaith.'

'Na, un o Sir Fôn dwi'n wreiddiol . . . ' a gwaeddodd fygythiad arall ar y chwaraewyr. 'Does 'na'm ond rhyw ddeng munud arall ar ôl, tyrd draw i'r clwb wedyn am beint.'

Nodiodd JP. 'Diolch.'

*   *   *

Roedd JP a'r cyfarwyddwr yn eistedd â'u peintiau o'u blaenau pan ddechreuodd y chwaraewyr ddod i mewn fesul un a dau o'r stafell newid. 'Hogia cryfion, rhein,' meddai JP.

'Ydyn, y gora'n y gogladd 'ma. Eu teidia nhw'n chwarelwrs a llongwrs a meibion ffermydd. Cymry glân gloyw. Celtiaid . . . Brythoniaid, beth bynnag alwi di nhw. Roedd hen-deidia'r rhain yn cwffio pan ddaeth y Romans a'r Saeson yma. Yli breichia a choesa sydd ganddyn nhw . . . fel eliffantod. Chei di ddim gwell yn nunlla.'

Erbyn hyn roedd y chwaraewyr i gyd wedi cyrraedd a thro'r barman oedd hi i weithio'n galed rŵan. Âi pob peint i lawr mewn dau lwnc ac âi sŵn y chwerthin a'r herian yn uwch. Dechreuodd rai reslo-braich â'i gilydd, rhai eraill yn sefyll ar eu pennau ar y byrddau bach crynion. Dechreuodd eraill ganu.

Roedd JP wedi sylwi bod dau, nid yn unig yn fwy uchel eu cloch na'r gweddill, ond hefyd yn ennill pob gornest o gampau'r bar. 'Pwy 'di'r ddau yna?' gofynnodd i'r cyfarwyddwr.

'Rheina ydy'n star-pleyrs ni. Rheina sy'n gwthio drwy'r gwrthwynebwyr ac yn sgorio'r ceisia. Rheina 'di'r canwrs gora, a'r rheina sy'n cael gafael ar y merchaid dela'n y dre 'ma . . . '

'Oes posib eu cyfarfod nhw?' gofynnodd JP.

'Dydy rŵan ddim yr amser gora i siarad efo nhw. Maen nhw'n beryg ar ôl cael cwrw. Tyrd i'r Blac nos fory ac mi wna i dy introdiwsio di iddyn nhw.'

*   *   *

Roedd JP yn y Blac erbyn wyth. Eisteddai'r cyfarwyddwr wrth fwrdd yn y lolfa efo'r ddau chwaraewr o faint dwy wardrob bob ochor iddo.

'Dyma Bongo a dyma Myll,' meddai wrth gyflwyno'r ddau bob yn un.

'Su' mai, hogia,' meddai JP. 'Sgynno chi ffansi trip i sbês?'

2

Doedd dim angen gofyn ddwywaith i Bongo a Myll. Rhwng cegeidiau o lagyr gofynnai'r ddau gwestiynau astrus fel: 'Faint gymrith hi?', 'Fyddan ni'n ôl erbyn yr internashynyls?', 'Oes 'na ferchaid yn dod efo ni?'

Gwyddai JP y gallai'r ddau ymdopi â thaith bum mis i Delta Equinox. Roedden nhw'n fechgyn cryfion. Ond tybed allen nhw ymdopi â gwaith cymhleth, gwyddonol y gofodwr? Daeth yn amlwg o'r eiliadau cyntaf mai cwrw a merched oedd yn mynd â bryd y ddau. Tybed sut fydden nhw'n ymdopi â bywyd ar Delta Equinox? Oedd yno ferched a chwrw?

Torrodd Myll ar draws ei feddyliau. 'Pryd 'da ni'n cychwyn, Mr Jones?'

'Mi rydw i'n disgwyl dyddiad unrhyw funud gan NASA. Mae'n dibynnu lle mae'r lleuad yn yr awyr a phetha felly. Rhag ofn i'r roced eu taro.'

'O!' ebychodd Bongo. 'Mi fysai'n syniad i ni gael gwybod yn o fuan. Mae'n rhaid i mi roi mis o notis i'r gwaith brics.'

'Dwi'n ocê, Mr Jones. Dwi'm yn gweithio rŵan.'

Torrodd Bongo ar ei draws. 'Gath o sac. Nath o daro uffar o rech yn cold storej ffatri sosejis yn dre 'ma. Mi wnaeth hi rewi'n gorn. Roedd hi fel ffwtbol frown yn y gornel.'

Edrychodd JP yn bryderus. 'Ydy o'n fit i fynd i sbês? Mi fyddwch chi wedi syffocetio cyn cyrraedd Delta Equinox.'

'Na, na, Mr Jones, mi fydda i'n ocê. Wedi bod yn yfad Ginis drwy'r dydd yn Werddon o'n i. Dwi'n ocê os sticia i at y lagyr. Fydd 'na lagyr yn Delta . . . beth bynnag ydy enw fo?'

'Mi gewch chi fynd â pheth efo chi,' meddai JP. Doedd o

ddim eisiau colli'r ddau yma rŵan. Roedd yn disgwyl cadarnhad unrhyw ddiwrnod bod lle i'r ddau ddechrau ymarfer, a doedd ganddo ddim amser i fynd i chwilio am rai yn eu lle.

* * *

Bongo oedd y callaf o'r ddau – os yw'r gair 'call' yn addas yn y cyswllt yma. Roedd Bongo wedi cael ei fagu efo'i nain, a rhywfaint yn fwy hen ffasiwn na'r rhan fwyaf o hogiau'r dre. Roedd yn dueddol o gredu pob dim a ddywedai pobol wrtho. Ond doedd o ddim yn un i'w groesi. Rhwng gwaith caled y gwaith brics, hyfforddi'r cae rygbi a'r holl gwrw a yfai, roedd Bongo cyn gryfed â tharw. A sôn am darw, roedd ganddo hefyd goc fel un mul . . . a phâr o geilliau fel pâr o ddrymiau bongos, a dyna sut cafodd o'r enw. Chafodd Bongo ddim cyfle i weithio'i fis olaf yn y gwaith brics. Roedd JP wedi cael e-bost o NASA yn dweud bod y rhaglen ymarfer yn barod amdanyn nhw. A chan fod y ddau'n arwyr yn y dre – a Chymru gyfan – roedd perchennog y gwaith brics yn falch fod un o'i weithwyr – pa mor wirion bynnag oedd o – yn cael y fath anrhydedd, a chafodd Bongo ei ryddhau yn syth.

Gwallt coch sydd gan Myll, neu oedd ganddo. Roedd wedi eillio'i ben ers blwyddyn neu ddwy. Roedd o'n help, meddai, i ddychryn y gwrthwynebwyr ar y cae rygbi, ac yn arbennig o gyfleus pan âi'n ffeit gwrw wedi gêmau rygbi. Ond er colli'r gwallt coch, roedd nodweddion pob cochyn ynddo – roedd yn fyr ei dymer.

Yn anffodus, wythnos cyn i'r e-bost gyrraedd, cafodd Myll ei yrru gan y swyddfa dôl i weithio at Huw Cig Fflat. Busnes sleisio cig oedd gan Huw. Prynai'r cig yn lympiau anferth, eu tafellu a'u pacio a'u dosbarthu i siopau'r fro. Roedd Huw newydd gael archeb anferth gan y *Sunny Bank Holiday Camp* ac roedd yn mynnu bod Myll yn gweithio'n hwyr i orffen yr archeb. 'Ffor-ffyc-sêcs, Huw, ma' hi'n nos Sadwrn bach. Dwisio

16

mynd am beint.'

Ond doedd dim tycio ar Huw. 'Dwi'n mynd â'r ordor yma i Musus Ŵan, a pan ddo i'n ôl dwisio'r rheina wedi'u sleisio a'u pacio i gyd. Ac os na fyddan nhw, chei di ddim cyflog.'

Trodd Myll handlen y sleisar hanner dwsin o weithiau gan wthio'r lwmp cig tuag at y peiriant. 'Blydi Saeson,' meddai wedi i Huw ei adael. 'Pam ddiawl na fysan nhw'n dod â bwyd efo nhw lle mod i'n gorfod gweithio'n y twll lle yma? Mi fysa byta cachu'n ddigon da iddyn nhw.' Cafodd syniad, tynnodd ei drwsus a'i drôns. Tarodd anferth o rech a dechreuodd sychu ei din â phob sleisen o gig cyn eu pacio. 'Lyfli Welsh mît . . . '

'Be ddiawl ti'n neud, y mochyn uffar?' Roedd Huw Cig Fflat wedi taro'n ôl wedi iddo anghofio'i lyfr archebion.

'Rhoi blas ar y blydi cig 'ma sgin ti . . . '

Gwnaeth Huw gamgymeriad. Camodd at Myll a chydio'n ei goler, ond chydiodd o mohoni am hir. Roedd llaw anferth Myll wedi cydio yn ei ben a'i wthio tuag at y sleisar. 'Mi geith y Saeson dipyn o ben mochyn i ginio . . . '

Sgrechiai Huw. 'Paid, paid . . . gei di fynd am beint rŵan . . . '

Cydiodd Myll ym mag arian Huw. Tynnodd yr arian allan a'i bocedu cyn rhoi bag Huw Cig Fflat drwy'r sleisar a cherdded allan. 'A deud wrth y petha dôl 'na mod i'n ynsŵtabl . . . '

*   *   *

Daeth awyren bersonol JP i faes awyr Dinas Dinlle i nôl y ddau. Yn ffarwelio â nhw roedd mwyafrif poblogaeth Caernarfon a'r cyffiniau, cyfryngau'r byd a band Llanbabo. Cafodd y ddau ddarpar-ofodwr orchymyn i gau'r beltiau'n dynn am eu canol a chychwynnodd yr awyren gan raddol gyflymu nes codi o'r ddaear ac allan dros y môr i gyfeiriad America.

Doedd ond tri arall ar yr awyren. Dau beilot a gweinyddes. 'Oes rhywbeth alla i ei wneud i chwi, foneddigion?' gofynnodd honno unwaith yr oedd yr awyren yn yr awyr.

Edrychodd y ddau ar ei gilydd. 'Be? Secs ti'n feddwl?' gofynnodd Bongo.

Cochodd y weinyddes. 'Diod . . . bwyd . . . ?'

'Diod. Sgynnoch chi lagyr yma?'

'Nagoes, mae'n ddrwg iawn gen i ddweud. Ond mae yna ddewis helaeth o winoedd a chwisgi'r Alban.'

'Tyd â nhw yma i gyd 'ta,' gorchmynnodd Myll.

Doedd y weinyddes ddim mewn sefyllfa i wrthod a llanwodd ei throli dair gwaith â'r ddiod a'i rhowlio tuag at y ddau. Yn ffodus, gan mai awyren lled fechan oedd hi, doedd y geudy ddim yn bell iawn o seddi'r ddau a chafwyd aml i daith am wagiad wrth groesi'r Iwerydd. Fel yr âi'r stoc diod i lawr codai awydd y ddau i fynd i'r afael â'r weinyddes.

'Hei, del,' gwaeddodd Bongo. ''Da ni isio rwbath.' Cerddodd y ferch ato. ''Da ni isio chdi ddod i ista'n y canol 'ma efo ni. 'Da ni'n teimlo'n unig.'

Gwrthod wnaeth y ferch gan ddweud bod rhaid iddi helpu'r peilotiaid i newid llwybr yr awyren. Ond wrth iddi droi ar ei sodlau main, cydiodd Bongo yn ei thin a'i llusgo tuag atynt. Clywodd y peilotiaid ei sgrechian a rhedodd un atyn nhw â gwn yn ei law. Doedd neb yn bygwth hogiau Caernarfon – gwn neu beidio. Gollyngwyd y ferch a chododd Myll ar ei draed. Ond er mor chwim roedd o ar y cae rygbi, wedi sawl poteliad o win coch, doedd o ddim digon sydyn i atal y peilot rhag cipio'r ferch i'r caban a chloi'r drws ar ei ôl.

Cafwyd waldio a rhegi, ond i ddim pwrpas. Aeth y ddau'n ôl i yfed, ac ymhell cyn cyrraedd glannau America roedd y ddau'n chwyrnu'n drwm.

Pan laniodd yr awyren yn Fflorida, roedd hi'n ganol dydd. Symudodd yr awyren yn araf ar hyd y llain lanio ac at adeilad ble'r oedd nifer o bobol wedi ymgasglu. Arhosodd yr awyren a gwthiwyd grisiau ati. Cerddodd un o swyddogion NASA i fyny'r grisiau. Cydiodd yn nwrn y drws a chafwyd nodau cyntaf y *Stars and Stripes* gan fand pres gorau'r dalaith. Sythodd y pwysigion ar y tarmac a chamodd dau pwysicach a JP ymlaen i groesawu'r ddau o Gymru.

Myll ddaeth gyntaf i'r drws. Caeodd ac agorodd ei lygaid fel twrch daear yn gweld golau dydd am y tro cyntaf ers peth amser. Dilynwyd o gan Bongo.

''Cin-el mae hi'n boeth 'ma!'

Daliodd dyn NASA ei fraich allan i hebrwng y ddau i lawr y grisiau i'r seremoni groesawu. Doedd llygaid y ddau ddim wedi llwyr gyfarwyddo â haul tanbaid Fflorida ac ychydig welen nhw wrth gychwyn i lawr y grisiau. Roedd JP a phennaeth NASA wedi cyrraedd gwaelod y grisiau erbyn hyn. Roedd syched anferth ar Myll a Bongo ac roedd y ddau'n mawr obeithio bod yna far yn rhywle ar y maes awyr. Cymaint oedd eu hawydd i gyrraedd y fan honno fel y methodd Myll un o'r grisiau. Cydiodd yng nghot dyn NASA i geisio'i ddal ei hun, ond roedd ddwywaith ei bwysau a thynnwyd o i gyfeiriad y tarmac gan wthio Bongo 'run pryd. Cyrhaeddodd y tri'n un swp o flaen traed JP a phennaeth NASA.

Ar ddarn o bapur yn llaw y pennaeth roedd ei gyfarchiad i'r ddau. Dechreuodd ddarllen. 'Croeso i Fflorida, pencadlys gofod y byd. Yr ydwyf i a'm cydweithwyr yn croesawu dau ŵr ifanc – cynrychiolwyr cenedl fach y Cymry – ar ddechrau eu taith hanesyddol i'r gofod. Henffych, gyfeillion!'

'JP. Pwy ffwc 'di hwn?'

* * *

Doedd cwrs hyfforddi NASA yn ddim problem i'r naill na'r llall. Yn wir, roedd nosweithiau hyfforddi clwb rygbi Caernarfon yn llawer anoddach. Beth oedd yn creu peth anhawster – wel, anhawster mawr i ddweud y gwir – oedd na châi'r ddau ddim alcohol na rhyw yn ystod yr hyfforddi.

'JP,' meddai Myll un bore, 'mae Bongo a fi wedi bod yn trafod. Os na chawn ni lysh a dynas wsos yma, 'da ni'n mynd adra.'

'Esu, hogia, peidiwch â bod yn wirion. Dydw i wedi gwario

miliyna'n eich trênio chi. Ellwch chi ddim mynd adra rŵan.'

'Ond JP,' ychwanegodd Myll, ''da ni'n despret. 'Da ni rioed wedi bod mor hir â hyn heb lysh . . . '

'Na dynas,' ychwanegodd Bongo. ''Da ni . . . 'da ni wedi laru halio ac ma Myll yn sôn am droi'n homo os na . . . '

'Naddo tad,' meddai Myll gan lamu at ei gyd-ofodwr. 'Cau dy blydi ceg, wnes i'm deud y fath beth . . . '

'Hogia bach,' meddai JP. 'Ylwch, mi 'na i drio ngora, ond mae diod a merchaid yn erbyn y rheola yma. Ella y gwna nhw abortio'r mishyn.'

''Da ni'n rhoi dau ddwrnod i chdi JP. Dim dynas . . . dim lysh . . . dim sbês mishyn . . . '

*   *   *

Parhaodd y ddau â'r ymarferion. Wedi tair wythnos roedd ganddyn nhw syniad go lew pa fotymau i'w pwyso er mwyn newid cyfeiriad y roced unwaith y byddai wedi gadael atmosffer y ddaear. Roedden nhw rŵan ar ganol yr ymarferion i gael y roced i lanio ar Delta Equinox.

Un noson gorweddai'r ddau ar eu gwlâu wedi diwrnod caled o bwyso botymau'n eu trefn pan ddaeth cnoc ar y drws. JP oedd yno.

'Agorwch y drws y diawlad,' harthiodd dan ei wynt.

Pan agorwyd y drws iddo, tarodd olwg i fyny ac i lawr y coridor a sleifiodd i mewn i'r ystafell. Roedd ganddo barsel dan ei fraich.

'Dyna chi'r ffernols. Gobeithio neith hyn eich cadw chi'n hapus.'

Cythrodd Myll i'r parsel. Roedd pedair potel o gwrw ynddo. 'Pedair potel! Lle uffar ma'r rest? Neith hyn ddim glychu blaen 'y nhafod i . . . a lle uffar ma'r merchaid?'

Ond roedd Bongo wedi tyrchu i waelod y parsel. 'Dyma hi,' meddai gan dynnu pecyn plastig allan. 'Dyma hi! Inffletybl dol!'

'Dyna'r gora fedrwn i wneud i chi hogia. Mae'r siciwriti'n uffernol yma.'

Tra oedd Myll yn agor un o'r poteli, roedd Bongo a'i drwsus a'i drôns o gwmpas ei draed yn chwythu'r ddol blastig. Erbyn i Myll orffen y botel ac estyn am un arall, roedd y ddol fel Tw-Tyn-Tesi. 'Dyna ddigon, Bongo . . . ' gwaeddodd JP, ond roedd yn rhy hwyr. Cafwyd anferth o glec pan ffrwydrodd y ddol a lluchiwyd y tri i gorneli'r stafell.

Daeth Myll ato'i hun a neidiodd am wddw Bongo. 'Ti'm yn blydi call, ti 'di smashio'r poteli lysh a bystio'r fodan!' Ond roedd Bongo'n rhy gryf iddo, a hyrddiwyd Myll ar ei wely.

'Hogia bach, rhowch gora iddi, myn uffar i! Mae gynnoch chi siwrna faith o'ch blaena chi. A 'da chi'n ffraeo cyn cychwyn! Yli Myll, mae yna un botel ar ôl, yfa di honno ac mi gei di'r ddol sydd heb fystio. Mi wna i drio cael patsh i dy un di, Bongo.'

Rhoddodd Myll glec i'r un botel gyfa oedd ar ôl tra aeth Bongo ar ei liniau i lyfu gweddillion y cwrw oedd wedi hel yn bwll bychan ar lawr y stafell. Ysgydwodd JP ei ben a cherddodd allan o'r ystafell.

Roedd y ddau'n teimlo rywfaint yn well wedi cael yr alcohol. Aeth Myll ati i chwythu ei ddol i fyny er mwyn cael gwared â'r rhwystredigaeth arall oedd arno tra aeth Bongo i ddarllen chydig rhagor o *Teulu Bach Nant Oer* yr oedd ei nain wedi'i adael iddo'n ei hewyllys. Roedd wedi darllen o leiaf chwe thudalen ers iddo gyrraedd America.

O fewn dim, roedd Bongo wedi syrthio i gysgu. Roedd y pwyso botymau drwy'r dydd a darllen drwy'r nos yn ei flino. Syrthiodd i drwmgwsg gan freuddwydio am sêr a phlanedau, a merched a chwrw . . . Roedd y llong ofod yn nesáu at y blaned ac yna'n disgyn fel pluen i'w daear. Gorweddai Bongo yn ei gadair yn disgwyl i'r drws agor . . . ond yna clywai sŵn erchyll, sŵn tuchan a gweiddi . . . a'r llawr yn crynu. Deffrôdd yn sydyn, yn chwys drosto. Cododd ar ei eistedd. Deuai'r sŵn o'r gwely wrth ei ochr. Rhoddodd y golau mlaen . . . ac yno roedd

Myll ar gefn ei ddol blastig yn gwthio a thuchan, a'r ddol yn gwegian a gwichian dan yr holl ymdrech. Yna, cafwyd gwaedd gan Myll a syrthiodd yn llipa dros y ddol.

'Gai jans?' gwaeddodd Bongo wrth neidio allan o'i wely.

'Na chei'r diawl. Dim efo'r goc fawr 'na sy gen ti,' a thynnodd Myll y plwg allan o'r ddol i adael y gwynt allan.

'Y basdad!' gwaeddodd Bongo gan neidio am Myll, ond roedd hwnnw'n fwy chwim nag o a glaniodd ar wely gwag.

Yna, clywyd curo ar y drws. Aeth Myll i'w agor. Swyddog byddin America oedd yno a darn o bapur yn ei law. Rhoddodd y papur i Myll. Saliwtiodd a throdd ar ei sawdl a diflannu i fyny'r coridor. Myll ddarllenodd y nodyn.

'Maen nhw . . . maen nhw . . . isio i ni gychwyn . . . i Delta Equinox diwrnod ar ôl fory. Mae'r . . . condishyns yn iawn. Fel arall, fysa raid i ni aros . . . am fis arall . . . '

'Hwrê! Delta Cew-fflocs, hîr wî cym!' meddai Bongo gan gofleidio Myll yn wyllt.

*   *   *

Unwaith y daeth y newyddion bod y ddau ar fin cychwyn am y blaned bell, roedd y cyfryngau'n heidio i'r ganolfan ofod. Roedd pawb eisiau siarad â'r ddau ofodwr a'r rheiny'n fwy na pharod i siarad â phawb, yn enwedig os mai merched oedden nhw. Bu'r criw technegol yn sicrhau bod pob dim yn gweithio gan bwyso botymau am yr ail a'r trydydd tro.

Er mwyn cadw'r ddau'n ddiddig ar y daith hir, caniatawyd iddyn nhw, ar ôl i Bongo drwsio'r pynctiar, fynd â'r ddwy ddol blastig efo nhw. Cafwyd cyflenwad o gwrw, hefyd, ynghyd â pheiriant i droi piso'n lagyr wedi i'r cyflenwad ddod i ben.

O'r diwedd daeth y diwrnod mawr. Cododd y ddau'n gynnar. Shêf, cachiad a thrôns glân – yn union fel pe baen nhw ar gychwyn i gêm yng Nghaerdydd. Roedd y camerâu teledu'n eu disgwyl y tu allan i ddrws eu hystafell a dilynwyd nhw'r holl ffordd ar hyd y coridor i'r stafell reoli. Yno, bu pennaeth

NASA yn dymuno'r gorau iddyn nhw ar y daith. Y tu allan, rhyw ganllath o'r long ofod, safai'r Arlywydd. Ysgydwodd ddwylo'r ddau gan eu hatgoffa eu bod ar gychwyn ar y daith bwysicaf erioed yn hanes dyn. Yn wir, bod llygaid America – a'r byd – arnyn nhw bob cam o'r daith.

Roedd pob pwysigyn yn America – a rhai o wledydd eraill – yn awchu i gael dymuno'n dda iddyn nhw. Ar wahân i un. Y pwysicaf o bosib. Yr un wnaeth y daith yn bosib. J P Jones.

'Lle mae JP?' gofynnodd Myll drwy'r teclyn siarad oedd yn yr helmed gron wydr. Ceisiodd Bongo godi'i ysgwyddau i nodi nad oedd ganddo'r un syniad. Cerddodd y ddau'n araf ar hyd y bont gul, hir a arweiniai at y llong ofod. Agorwyd y drws a chamodd y ddau i mewn i stafell fechan oedd yn mynd i fod yn gartref iddyn nhw am bum mis.

Cysylltodd y stafell reoli â nhw. Fesul un, cawson nhw orchmynion i bwyso bob botwm yn ei dro. Yna daeth neges eu bod o fewn tri munud i gychwyn.

Yn sydyn, clywyd sŵn curo gwyllt ar ddrws y llong ofod. Datglymodd Myll ei wregys a chododd o'i gadair. Aeth at y drws a'i agor. Brysiodd gofodwr arall i mewn a chau'r drws ar ei ôl. Daeth llais y rheolwr bod munud ar ôl. Trodd Myll at y gofodwr a syllu i mewn i'w helmed wydr.

'Blydi hel, JP! Be uffar ti'n 'da yma . . . ?'

3

Chafodd JP ddim cyfle i ateb. Roedd y rheolwr wedi dechrau cyfri ac, ar y geiriau 'Lifft-off', dechreuodd y cerbyd grynu ac yna godi'n araf. Teimlai'r tri bwysau anferth ar eu cyrff fel y codai'r cerbyd o afael y ddaear, a phrin y clywen nhw leisiau'r stafell reoli yn sicrhau bod popeth yn mynd fel watsh.

Munudau'n ddiweddarach, teimlwyd y cerbyd yn troi ar ei ochr a'r pwysau ar gyrff y tri'n ysgafnhau. Daeth gorchymyn o'r stafell reoli y gallen nhw rŵan ddadfachu eu gwregysau a thynnu eu helmedau. Myll oedd y cyntaf i siarad.

'JP. Be uffar wyt ti'n da yma? Oeddat ti ddim i fod i ddod i sbês efo ni.'

'Does 'na'm digon o fwyd a lysh i dri,' ychwanegodd Bongo.

'Hogia, doedd gen i ddim lot o ddewis. Roeddan nhw ar f'ôl i. Roedd hi un ai sbês neu dwll yn fy mhen . . .'

* * *

Pan aeth JP ar frys i America wedi iddo dwyllo Victor Barrell, fuodd o fawr o dro'n cael ei draed dano. Roedd têcings clwb y *Jacaranda* mewn cês anferth a bu JP bob hyn a hyn yn cyfnewid y punnoedd am ddoleri. Arferai fynychu bar yn New Jersey. Un noson, ac yntau'n eistedd â gwydryn o gwrw o'i flaen, torrwyd ar ei feddyliau gan fwled yn chwyrlïo uwch ei ben. Ac un arall, ac un arall . . . a phob un yn taro'r drych oedd y tu ôl i'r bar ychydig fodfeddi'n uwch na phen y perchennog. Cerddodd dau ddyn cydnerth mewn siwtiau drudfawr at y bar. Ond nid archebu diod oedden nhw – rhybudd oedd ganddyn nhw i'r perchennog os na fyddai'n talu ei ddyled i'r 'ffirm', yna fyddai ganddo na bar na phen.

Arhosodd JP efo'i gwrw am rai munudau'n gwylio'r perchennog â'i ben yn ei ddwylo'n pwyso ar y bar. Roedd pawb arall wedi ailafael yn y sgwrsio a'r yfed, ond cododd y Cymro ac aeth at y perchennog. Aeth y tu ôl i'r bar ac estyn potel o gwrw bob un ac yn raddol bach cafodd hanes problemau perchennog *Pete's Bar*.

Roedd Pete wedi cael benthyg arian gan 'ddyn busnes lleol' i brynu'r bar. Doedd dim problem ar y dechrau. Llifai'r arian i mewn a châi'r ddyled ei thalu'n ôl fesul tipyn, yn ôl y trefniant. Ond daeth Mitsi i'r dre. Cantores oedd Mitsi. Cafodd waith yn *Pete's Bar*, yn canu ac yn gweini. Gwallt melyn oedd ganddi, ar ei phen o leiaf, a hwnnw'n syrthio'n donnau dros ei hysgwyddau. Roedd ganddi lygaid gleision y byddai hi'n eu hagor led y pen pan fyddai eisiau ffafr, ond rhai a gaeai'n llafnau meinion pan oedd y mwnci ar ben y catsh. Gwisgai finlliw coch bob amser, a thrwy ei gwefusau llawnion deuai nodau pêr – ac ambell reg. Wrth ganu baledi'r dyn du mewn llais wedi'i hogi gan fwg sigaréts, syrthiai bob dyn yn y bar mewn cariad â hi. Neb yn fwy na Pete.

A dyna lle y dechreuodd pethau fynd o le. Cysgu yn ei char wnâi Mitsi ar y dechrau gan ddod i'r bar i molchi, pincio a chael ambell bryd o fwyd, ond o fewn dim roedd hi'n rhannu bywyd – a gwely – Pete. Diod, ambell bryd a doler neu ddwy oedd cost Mitsi ar y dechrau. Ond nid am hir. Unwaith y syrthiodd Pete dan ei swynion, câi bopeth roedd hi eisiau; dillad, ceir a'r steil gwallt diweddaraf. Er bod bar Pete yn llawn bob nos, roedd ei gyfri banc yn wag, a dyna pryd y dechreuodd y 'dyn busnes lleol' yrru ei ddynion draw.

Pan ddywedwyd na châi Mitsi mo'r Mustang diweddaraf ar ei phen-blwydd, pwdodd, a diflannodd mewn Dodge allan o fywyd Pete. Ond nid cyn llenwi'r car â'i dillad drudfawr a chynnwys y til. Heb Mitsi, doedd *Pete's Bar* ond fel unrhyw far arall yn New Jersey ac yn raddol roedd y cwsmeriaid yn mynd yn brin ac arian Pete yn mynd yn brinnach. Roedd ei ddyled rŵan yn filoedd o ddoleri – yn wir roedd tua'r un faint â'r hyn oedd gan JP yn ei gês. A dyna sut y daeth y Cymro o Gaernarfon yn berchennog ar far yn New Jersey.

JP dalodd yr arian i'r 'dyn busnes lleol' gan fod Pete wedi gadael ar frys i chwilio am Mitsi. O fewn dim, daeth *JP's Bar* yn ganolfan i adar brith y dref ac o fewn dim roedd y Cymro wedi adennill yr arian yr oedd wedi'i dalu am y busnes. Roedd gan y 'dyn busnes lleol' broblem â busnes arall yn y dref – parlwr masâj – ac awgrymodd i JP y byddai masâj yn help i leddfu'r pwysau o redeg busnes llwyddiannus.

Un diwrnod talodd JP ymweliad â *Pearl's Massage Parlour*. Talodd ei ddwy ddoler wrth y drws a chafodd ei arwain i stafell fechan ac ynddi fwrdd a phlanced drosto. Doedd neb yno, dim ond arwydd bychan yn gofyn i'r cwsmer dynnu ei ddillad, rhoi gŵn gwisgo amdano a gorwedd ar y gwely. Ufuddhaodd JP. Rai eiliadau'n ddiweddarach, agorodd y drws a daeth merch ifanc hardd mewn ffrog wen gwta ato. Cyhoeddodd mai Dee-dee oedd ei henw ac i JP dynnu'r ŵn a gorwedd ar ei fol.

Dechreuodd Dee-dee dylino ei gorff. Chawsai JP erioed brofiad tebyg. Teimlai pob cyhyryn yn dechrau ymlacio fesul un ac yna rhannau o'i gorff fel pe baen nhw'n graddol godi o'r bwrdd. O fewn dim, roedd yn teimlo fel pe bai ei gorff yn gorwedd mewn cwmwl gwyn. Stopiodd y tylino a throdd JP at y ferch. Yn amlwg, roedd hi'n disgwyl i'r cwsmer ddweud rhywbeth. Ond Dee-dee siaradodd gyntaf. Gofynnodd i JP oedd yna rywle arall yr hoffai iddi rwbio. Dywedodd JP fod ei goes yn brifo bob hyn a hyn wedi iddo'i thorri sawl blwyddyn yn ôl pan syrthiodd allan o goeden falau Mrs Robaij, Ala Las.

Wnaeth Dee-dee ddim gofyn pa goes, ond cydiodd yn ei goes ganol a dechrau'i mwytho. Bu raid i JP gau ei lygaid. Dechreuodd ochneidio ac yna wehyru fel ceffyl blwydd cyn taflu ei lwyth i fwced yr oedd Dee-dee wedi'i hestyn yn ddeheuig oddi wrth ymyl coes y bwrdd. Mynnodd Dee-dee dwy ddoler ychwanegol wrth daflu cadach gwlanen i JP sychu'i hun.

Gwisgodd JP amdano, rhoddodd ddwy ddoler ar y bwrdd ac aeth allan o'r stafell. Sylwodd fod ciw hir o ddynion llewyrchus yr olwg yn disgwyl am wasanaethau Dee-dee a'i chydweithwyr. Penderfynodd yn y fan a'r lle mai yma y byddai ei fuddsoddiad nesaf.

O dipyn i beth, tyfodd ymerodraeth JP. Daeth yn berchen ar fariau, casinos a pharlyrau tylino, ac roedd ganddo nifer o ferched y nos yn gweithio iddo, a rhai'n gweithio'r dydd hefyd. Ond wrth i'w ymerodraeth dyfu, deuai fwy-fwy i gysylltiad â phobol fel y 'dyn busnes lleol'. Talai gyfran o'i elw er mwyn cael bod o dan eu hadenydd, a byddent hwythau'n rhoi gwybod pan ddeuai cyfle am fargen. Daeth JP yn un o golofnau'r gymdeithas, yn ddyn busnes llwyddiannus a gefnogai nifer o achosion da yn yr ardal.

O dipyn i beth, manteisiodd y 'dynion busnes lleol' ar ei enw da. Dechreuodd JP dderbyn symiau mawr o arian i brynu busnesau ar eu rhan. Ymestynnodd ei ymerodraeth allan o ardal New Jersey, draw am Chicago, Las Vegas ac i Los Angeles. Er nad JP oedd berchen y busnesau hyn, câi gyfran o'u helw a chwyddodd ei gyfri banc.

Er nad oedd, ar yr wyneb, ddim yn amheus ynglŷn â busnesau JP, roedd yr FBI wedi rhoi dau a dau wrth ei gilydd ac am unwaith wedi cael pedwar. Ond doedd dim allen nhw ei wneud ond cadw golwg ar JP. Yn wahanol i Al Capone, talai JP ei drethi ar amser a chyfrannai'n helaeth i gronfa plant amddifad yr heddlu.

Ond – fel llawer i ddyn – y flewog oedd diwedd JP. Eisteddai un noson yn un o'i glybiau nos. Roedd sigâr fawr yn ei law a photeli o win gorau California ar fwrdd o'i flaen. Gydag o roedd rhai o wŷr blaenllaw y dre – y maer, pennaeth yr heddlu, twrneiod a chyfrifwyr. Hyd yma, noson ddigon diflas fu hi. Trafod busnes a helyntion y dref roedd pawb, a doedd yr adloniant – hyd yma – fawr at ddant JP chwaith.

Gadawodd y dawnswyr y llwyfan a chafwyd nodau melys sacsoffon yn llenwi'r ystafell. Yna piano a bas dwbwl. Symudodd y golau i ochr y llwyfan. Daeth neb i'r golwg ond clywyd llais melfedaidd merch o'r tu ôl i'r llenni. Aeth ias i lawr cefn JP. Camodd merch ifanc i ganol y llwyfan a meic yn ei llaw. Jazz – a chaneuon Billy Holiday yn arbennig – oedd maes Connie. Rhoddodd JP ei sigâr yn y soser a syllu fel cwningen wedi'i dal mewn golau ar y ferch yn canu. Pan drawyd nodau olaf y gân, neidiodd JP ar ei draed a churo'i ddwylo fel dyn gorffwyll, a'r un modd gyda phob cân a ganodd Connie.

Pan adawodd y ferch y llwyfan, amneidiodd JP ar i un o'r gweinyddesau ddod ato. Tynnodd ffownten pen aur o boced ei got a sgwennodd nodyn ar gefn y fwydlen a chafodd y weinyddes orchymyn i fynd â'r neges i gefn y llwyfan. Cymerodd Connie ei hamser ac roedd hi'n gryn chwarter awr cyn iddi ymuno â JP wrth y bwrdd. Estynnwyd gwydraid o win a chynigiodd y dynion lwncdestun yr un iddi.

Ond ar JP oedd llygaid Connie. Fflachiai ei dannedd gwynion bob tro y dywedai unrhyw beth a symudai ei chadair fesul modfedd yn nes ato. O fewn dim, roedd llygaid y ddau'n syllu i'w gilydd. Doedd JP ddim wedi sylwi bod y band yn chwarae miwsig dawns a bod parau ym mreichiau'i gilydd ar lawr dawnsio'r clwb nos. Cydiodd Connie yn ei law. Doedd JP erioed wedi dawnsio o'r blaen – ar wahân i pan fu ym mharti dawns Mrs Morris pan ddaeth Steddfod yr Urdd i Bwllheli. Ond doedd dim rhaid iddo boeni. Cydiodd Connie yn ei law a rhoddodd ei braich dde yn dynn am ei ganol. Tynnodd ei gorff tuag ati, a phan symudai ei chorff hi i guriad y gerddoriaeth, symudai corff JP yr un modd. Roedd y ddau fel un yn llithro'n osgeiddig ar hyd y llawr pren.

Arafodd y gerddoriaeth. Rhoddodd Connie ei dwy fraich am wddw JP, a'i gwefusau'n dynn wrth ei glust. Gwthiodd ei chorff i'w un o a theimlodd lwmp caled ym mhoced JP. Gwyddai fod llond ei boced o ddoleri arian. Erbyn i'r dawnsio ddod i ben, roedd y bwrdd yn wag a'r pwysigion wedi gadael er mwyn cael codi'n gynnar y bore canlynol i wneud rhagor o arian. Eisteddodd y ddau gan sibrwd mân siarad.

Roedd y clwb erbyn hyn yn wag a'r gweithwyr yn un rhes yn disgwyl i JP ei chychwyn hi am adref er mwyn i'w diwrnod hwythau ddod i ben. Connie ofynnodd lle'r oedd JP yn aros. Roedd ganddo stafelloedd uwchben y clwb. Cododd y ddau ac allan drwy'r drws fraich ym mraich.

Rywbryd yn ystod y bore, cododd Connie i agor y ffenest a daeth sŵn cerbydau'r dref i'r stafell i ddeffro JP. Taniodd Connie sigarét cyn neidio'n ôl i'r gwely. Roedd JP yn dal yn flinedig – er yn hapus a bodlon – wedi oriau lawer o garu â Connie. Rhag ofn iddi ailddechrau, dechreuodd holi ei hanes. Roedd gwaed Indiad ynddi ac roedd hynny'n amlwg o'i bochau uchel, prydferth. Roedd gweddill ei theulu'n dod o'r Eidal ac un nain iddi o *Wales.*

'Cymraes wyt ti!' meddai JP, ond doedd hi'n dallt yr un gair o'r heniaith, ond fu hi fawr o dro'n dysgu ambell air fel 'cariad' a 'mwy' ac 'arian'. Cymaint oedd JP wedi gwirioni fel y symudodd bencadlys ei fusnesau i River Falls er mwyn cael treulio cymaint o amser â phosib yng nghwmni Connie. Gan mai ond gyda'r nos y canai Connie, câi ddigon o amser i helpu JP a'i fusnesau yn ystod y dydd. Daeth hi i wybod am bopeth yr oedd yn berchen arnyn nhw; daeth i wybod am ei drefniant â'r 'dynion busnes lleol' a'i berthynas â phwysigion sawl tref yn America. Dywedai JP bopeth wrthi.

Nid yn unig y gallai Connie ganu, ond gallai, hefyd, gadw llyfrau cyfrifon. Roedd gan JP ddwy set. Un i'r refeniw ac un iddo fo gael gwybod ei wir sefyllfa ariannol. Câi un set ei chadw yn ei swyddfa, a'r llall mewn stafell fechan gudd y tu ôl i wal y mini-bar yn ei stafell bersonol. Teimlai JP yn hapus ei fyd. Cynyddai ei gyfoeth o ddydd i ddydd ac roedd Connie yno i gadw cwmni iddo.

Un prynhawn, roedd JP yn eistedd y tu ôl i'w ddesg dderw yn ei swyddfa, pan ddaeth Connie i mewn. Cododd o'i sêt ac aeth ati i'w chusanu. Ni fu iddi ymateb iddo fel yr arferai.

Safai'n syth a llonydd. Yna, dywedodd fod dau ddyn y tu allan eisiau ei weld. Tynnodd JP ei freichiau oddi arni a chydiodd Connie yn nwrn y drws. Camodd dau ddyn i mewn gan estyn eu waledi o bocedi eu cotiau.

Aeth chwys oer dros JP wedi i'r ddau ddangos eu bathodynnau arian. Cydiodd yn ochr y ddesg i sadio'i hun. Dau swyddog o'r FBI oedden nhw. Eisteddodd JP a dechreuodd y ddau ei holi. Gwadodd JP bob dim. Onid oedd o'n ddyn busnes llwyddiannus ond gonest? Onid oedd barnwyr a sheriffs a phenaethiaid heddluoedd yn gyfeillion iddo? Onid oedd o'n datgelu popeth i ddynion y treth bob blwyddyn? Estynnodd JP i un o'r drôrs a thynnodd lyfr mawr cas lledr allan. Cynigiodd i'r ddau swyddog ei archwilio. Gwrthod wnaethon nhw. Roedden nhw eisiau gweld y llyfrau eraill.

'Pa lyfrau?' gofynnodd JP.

Roedd y ddau'n gwybod am y set arall yn y stafell gudd. Ond sut?

Nodiodd un o'r swyddogion ar Connie a cherddodd hithau y tu ôl i'r mini-bar. Cydiodd mewn potel wisgi oedd ar silff a phwyso botwm oedd y tu ôl iddi. Agorodd drws yn araf yn y wal.

Diolchodd y swyddog – nid i Connie – ond i Lwtenant Harvey.

'Y gotsan! Y gotsan uffar! Y ffy . . . ' ond orffennodd JP mo'i frawddeg. Neidiodd am wddw Connie a cheisio'i thagu. Roedd hi wedi'i dwyllo. Roedd o wedi rhannu ei wely â hi, rhannu ei arian a rhannu ei gyfrinachau. Y ffycin copar iddi! Connie yn gopar . . .

Pan ddaeth JP ato'i hun, roedd ar lawr, roedd cefn ei ben yn brifo ac roedd ei ddwylo wedi'u clymu y tu ôl iddo. Eisteddai'r tri o'i gwmpas yn edrych i lawr arno. Roedd yr FBI yn gwybod popeth amdano. Ond nid JP roedden nhw eisiau ond yr holl 'ddynion busnes lleol' yr oedd o'n eu nabod ar draws America. Y rheini oedd y 'pysgod mawr' fel y caent eu galw.

Roedd gan JP un o ddau ddewis. Deng mlynedd o garchar a cholli ei holl gyfoeth, neu gydweithio â'r FBI i ddal y 'dynion busnes lleol' a chadw'r arian a'i ryddid. Doedd yna ddim dewis mewn gwirionedd. Cytunodd i'w helpu a gwenodd ar 'Connie' gan obeithio y gallai barhau â'r berthynas, ond edrych allan drwy'r ffenest wnaeth hi. Er hynny, roedd hi i aros efo JP rhag codi amheuaeth bod pethau wedi newid. Parhâi 'Connie' i ganu yn y clwb gyda JP yn eistedd wrth fwrdd yn gwrando arni, ond dychwelyd i wely gwag a wnâi gan fod 'Connie' wedi gosod gwely dros dro iddi'i hun yn y swyddfa.

Diolch i 'Connie', gwyddai'r FBI bopeth am weithgareddau JP, ond roedden nhw eisiau ei gydweithrediad i ddal y 'dynion busnes lleol'. Fesul un, trefnodd JP gyfarfod â nhw a'u cael i siarad am eu gweithgareddau anghyfreithlon. Roedd teclyn ym mhoced cot JP a drosglwyddai bob gair i fan y tu allan ble'r eisteddai'r ddau swyddog yn gwrando. Fesul un, câi'r 'dynion busnes lleol' eu harestio. Ond dechreuodd rhai sylwi mai ar ôl cyfarfod â JP y byddai'r arestio'n digwydd. Trefnwyd i gael gair ag o a daeth saith dyn cyhyrog ar ymweliad â'i swyddfa yn River Falls.

Gwadu pob dim wnaeth JP, wrth gwrs, hyd yn oed wedi i'r saith dynnu drylliau. Tynnodd un lafn rasel o'i boced a dechreuodd JP ystyried cydweithredu â nhw, ond daeth 'Connie' i mewn. Gwelodd beth oedd yn digwydd a thynnodd rifolfyr bychan o boced ei siaced a'i ddal yng nghlust un o'r dynion. Gorchmynnodd i JP ddiflannu – mor bell ag y gallai . . .

*   *   *

'Hogia, sgen i ddim dewis,' meddai JP wrth Myll a Bongo. 'Mae 'na ryw ffernols ar fy ôl i. Dydy hi ddim yn saff ar y ddaear i mi. Felly 'nes i benderfynu dod i Delta Equinox efo chi'ch dau . . . '

4

Prin bod yno le i JP a'r ddau ofodwr. Doedd ond dwy sedd yno a mynnai JP eu bod yn rhoi cyfle iddo gael un ohonyn nhw bob hyn a hyn gan fod ei din yn brifo wrth eistedd ar lawr y capsiwl.

'JP, ti'm 'di cael dy drênio i eistedd yn fan'ma o flaen y botyma 'ma i gyd. 'Mond y ni sy'n gwbod be i neud,' meddai Bongo gan eistedd yn ôl yn y gadair gyffyrddus.

'Ond 'da chi'n gneud ffyc-ôl 'mond sbio allan drw'r ffenast a dos 'na ffyc-ôl i'w weld beth bynnag.'

'Nag oes, JP, sbês 'di o. Does yna ffyc-ôl yn sbês. Dyna pam eu bod nhw'n galw fo'n sbês.'

'Fatha be sydd yn dy ben di.'

'Yli, os wt ti'm yn licio dy le yma, dos allan. Does dim raid i chdi ddod i Delta Cew-fflocs efo ni.'

'Nag oes,' ychwanegodd Myll.

'Lle uffar yr a' i? Does 'na'm byd allan yn fan'na, dim ond sbês fel dudis i wrtha chi.'

'Wel bydda ddistaw 'ta, ac ista ar y llawr 'na'n llonydd.'

A llonydd fu JP. Buan y sylweddolodd nad oedd ei arian yn dda i ddim yn y gofod a'i fod ar drugaredd y ddau lob o'r clwb rygbi.

Buan, hefyd, y blinodd y ddau ofodwr ar sbio allan drwy'r ffenest. Doedd dim yn newid heblaw pan fyddai ambell seren yn gwibio yn y pellter, ond onid oedd yr hogia wedi gweld gola Dolig Caernarfon a hwnnw'n llawer mwy lliwgar?

'Tisio gêm o gardia?' gofynnodd Myll.

'Iawn, be 'da ni am chwara? Sgynnon ni ddim pres i chwara brag.'

'Be am sdrip-jac?'

'Iawn 'ta. Ti'n gêm, JP?'

Nodiodd hwnnw.

Myll gollodd ei gardiau gyntaf a bu raid iddo dynnu dilledyn, a chan nad oedd ganddyn nhw ond eu siwtiau gofod un-darn amdanyn nhw, roedd yn noethlymun ar ôl dau funud o'r gêm. Funud yn ddiweddarach, daeth yr un dynged i Bongo.

'Rhaid i ni ddechra eto, 'chos ma'r ddau ohonan ni'n noeth. Ti 'di ennill, JP.'

Prin bum munud oedd hyd pob gêm gan y byddai dau o'r tri'n noethlymun erbyn hynny.

'Hogia bach, 'di hon yn da i ffyc-ôl. Agor y cania 'na, JP,' meddai Bongo wedi iddo golli'r gêm olaf.

'Esu, does 'na ond dau ddiwrnod ers 'da ni wedi cychwyn. Dydy'r syplei yna ddim yn mynd i bara pum mis i ni.'

'Na, ond mae gynnon ni fashîn yn fanna neith droi piso yn lagyr.'

Nodiodd Myll fel tasa fo wedi dyfeisio'r peiriant ei hun.

'A chan bod yna dri ohonan ni yma rŵan, mi fydd yna fwy o biso . . . a fwy o lagyr,' ychwanegodd Bongo.

'Mwy o lagyr, ieeê!' gwaeddodd Myll gan godi ei ddwrn i'r awyr . . . a tharo swits ar y nenfwd.

Clywyd sŵn peiriant yn troi yn y to. Daeth golau coch ymlaen.

'Blydi hel, ma' drws y sbês-ship yn agor! Rhaid i ni roi'n helmets on neu mi fyddwn ni wedi mygu heb aer!' gwaeddodd Myll.

'Helmet?' meddai JP yn eistedd yn noeth ar lawr y capsiwl. 'Sgin i'm hyd yn oed siwt!'

Cododd Bongo o'i sedd. 'Dim ond pwyso hwn sy isio.' Arafodd y sŵn ac eiliadau'n ddiweddarach diffoddodd y golau coch.

'Bongo,' meddai Myll. 'Be uffar ti'n neud yn sefyll yn noethlymun yna fan'na reit yn ffenast?'

Gwibiodd dwylo Bongo i guddio'i gwd. Chwarddodd y ddau arall. 'Pwy uffar sy'n mynd i weld dy goc di'n sbês?'

Ymlaciodd Bongo. 'Ma' hon ddigon mawr i'w gweld o'r Ddaear, boi.'

Pnawn barodd y lagyr a bu raid defnyddio'r peiriant ar unwaith i gael rhagor. JP oedd y cyntaf i'w ddefnyddio. 'Dwi'n gorfod mynd yn amlach o beth uffar dyddia yma,' meddai.

'Grêt,' meddai Myll gan agor y tap ar y peiriant i lenwi ei wydr.

'Rarglwydd, dwi'n siŵr nad ydy'r mashîn 'ma'n gweithio. Mae blas fatha piso ar y lagyr 'ma.'

'Blas piso fuodd ar lagyr erioed,' meddai JP wrth agor balog ei siwt ofod i baratoi i gael gwagiad arall. 'Does 'na'm byd fel peint o meild, a hwnnw'n feild y Blac Boi. 'Dwi 'di bod ar draws y byd a dwi ddim 'di cael dim byd tebyg i feild y Blac Boi.'

''Da chi'n meddwl welan ni'r Blac eto, JP? Ella fyddan ni'n sdyc yn sbês am byth . . . neu ar Delta Cew-fflocs. Wela i Mam byth eto?' gofynnodd Myll gan edrych yn hiraethus ar y Ddaear oedd fel pelen golff islaw iddyn nhw.

'Gwnei, siŵr dduw. Fyddan ni ond yno am ryw 'chydig fisoedd. Gweld be sydd 'na, cyfarfod pobol – os mai pobol ydyn nhw – tynnu llunia a ballu ac yna adra.'

Doedd yna fawr i'w wneud wrth deithio i Delta Equinox. Wedi pwyso'r botymau ar ddechrau'r daith, doedd gan y capsiwl ddim i'w wneud ond teithio mewn llinell syth am y blaned bellennig. Doedd dim i'r tri i'w wneud nes byddai'n bryd glanio. Roedden nhw wedi blino ar chwarae cardiau, fyddai gêm o *I-spy* ddim yn para'n hir, a chan mai ond cwrw a merched oedd ar feddyliau Myll a Bongo fyddai sgyrsiau ddim yn para'n hir iawn chwaith. Roedd y ddau wedi blino hyd yn oed ar yr inffletybl-dols. Roedden nhw wedi eu cyfnewid ddwy neu dair gwaith i gael amrywiaeth – rhyw fath o waiff-swaping plastig – ond pharhaodd hyn ddim yn hir gan i Myll roi lyf-beit i ddol Bongo ac i honno golli ei gwynt. A chan nad oedd dim i'w thrwsio yn y capsiwl bu raid cael fersiwn ofodaidd o thrî-in-e-bed.

Roedd hyd yn oed JP yn colli cwmni merched. Hiraethai am Dee-dee a hyd yn oed Connie. Hiraethu am eu cwmni'n fwy na'u cyrff. Roedd o braidd yn hen i fynd ati fel cwningen fel y ddau lembo oedd efo fo yn y capsiwl.

'Fydd yna ferchaid ar Delta Cew-fflocs, JP?' gofynnodd Bongo un bore, ynteu pnawn oedd hi?

'O ryw fath, mae'n siŵr. Mae'n rhaid eu bod nhw'n bridio rywsut.'

Daeth gwên i wyneb Bongo wrth glywed y gair 'bridio'. 'Fyddan nhw 'run fath â genod adra – efo tits a chotsan, JP?'

'Sut uffar dwi'n gwbod? Disgwyl tan fyddan ni yna.'

'Maen nhw'n deud bod cotshis Tshainîs ar draws, JP. Wyt ti'n meddwl y bydd y rhain 'run fath?' ychwanegodd Myll.

'Rarglwydd mawr, hogia! Meddyliwch am rywbeth arall. A na, dydy rhai Tshainîs ddim ar draws!'

Wedi rhyw a chwrw, bwyd oedd y peth arall ar feddyliau'r ddau, er mai dim ond tabledi oedd ar gael. Er hynny, roedd dewis pa liw i'w gymryd yn torri ar undonedd y dydd.

'Mae hi'n amsar cinio,' meddai Bongo wrth edrych ar y cloc ar y wal. 'Be 'da chi isio heddiw?'

'Stêc a chips,' meddai JP.

Anwybyddodd Bongo fo. 'Pilsan las, goch 'ta melyn?'

'Os ydyn nhw wedi dyfeisio peiriant i droi piso'n lagyr, pam ddiawl na ofynsoch chi iddyn nhw os oedd ganddyn nhw beiriant sy'n troi cachu'n gorn bîff? Mi fyswn i'n gallu gwneud efo sleisan dew o gorn bîff rŵan, efo sôs coch a bechdan,' a llyfodd JP ei weflau. 'Rhwng y cwrw blas piso, y tablets di-flas a chi'ch dau'n malu awyr bob munud, mae'n hwyr glas gen i gyrraedd Delta Equinox.'

'A ninna hefyd, JP. 'Da ni rioed wedi eistedd gymaint ac yfed cyn lleied ers oeddan ni'n ysgol erstalwm.'

Ond doedd Myll ddim yn rhyw siŵr iawn erbyn hyn a oedd o eisiau mynd i Delta Equinox. Sut bobol fyddai yno? Fydden nhw'n edrych i lawr arnyn nhw? Roedd Myll wedi cael digon o hynny yng Nghaernarfon. Gwyddai nad oedd o y disgleiriaf o fechgyn; roedd hynny wedi cael ei ddweud wrtho ganwaith yn yr ysgol. Doedd gan grach y dref fawr i'w ddweud wrtho o ddeall ble'r oedd o'n byw ac nad i ysgol top Syr Huw yr aeth o. Roedd genod crach y dref, hefyd, yn edrych i lawr ar fechgyn fel fo a Bongo. Mae'n wir, roedden nhw'n cael noson ambell dro efo nhw, ond weithiau câi'r argraff mai cyfle am 'chydig o hwyl oedd y ddau, cael chwerthin ar ben eu hantics nhw yn hytrach na mwynhau eu cwmni go iawn. Ai rhai felly fyddai merched Delta Equinox? Fydden nhw eisiau adnabod Myll a Bongo? Fydden nhw eisiau adnabod JP? Fyddai JP yn neb ar y blaned bellennig. Fyddai arian yn bwysig yno? Fyddai cael coc fawr yn bwysig yno? Fyddai cael coc o gwbl yn bwysig yno?

Dyna'r cwestinau dyrys a âi drwy feddwl Myll wrth i'r llong wibio drwy'r gofod. Ac roedd ganddo ddigon o amser i feddwl. Pum mis cyfan. Pum mis o yfed lagyr gwan, llyncu pils a chwarae cardiau . . . a phwmpio'r ddol blastig, ond roedd hyd yn oed honno wedi colli'i blas erbyn cyrraedd hanner ffordd drwy'r daith.

'Ydy'r petha 'na ar Delta Cew-fflocs yn gwybod ein bod ni'n dod, JP?'

'Ydyn, am wn i. Dydy NASA 'na wedi gyrru negas iddyn nhw, er mai ond dau ohonan ni maen nhw'n ddisgwyl.'

'Wyt ti'n meddwl neith y mashîns transletio 'ma weithio? Os na wnân nhw, fyddan ni'n dallt dim arnyn nhw!'

'Gwnân siŵr, 'dydyn nhw wedi'u testio nhw ganwaith?'

'Be maen nhw'n fwyta yno, JP? Wyt ti'n meddwl bod nhw'n ganibals?' torrodd Bongo ar draws.

'Dim gymaint o ganibals â chi'ch dau!'

'Ond na, go iawn. Be tasan nhw ddim yn ein dallt ni, ac yn meddwl mai yno i gael ein byta oeddan ni? Mae 'na dipyn o gig ar Myll. Fo fysa'n cael ei fyta gynta.'

'Cau dy geg, y basdad! Mi fysa dy fôls di'n cadw teulu i fynd am fis.'

'Esu, dorwch gorau iddi myn uffar i!' meddai JP, wedi cael digon ar yr herian. 'Os fyddwch chi'n ffraeo fel hyn ar Delta Equinox, mi fydd y Delta Nocsus yn meddwl mai felly mae pawb ar y Ddaear. Fyddan nhw ddim eisiau'n nabod ni.'

'Ella wnân nhw infêdio'r Ddaear, fatha Marsians?'

'Dim os ydyn nhw'n credu bod pawb fatha chdi, Myll. Blydi hel, na! Cadw draw wnân nhw!'

Bu Myll a Bongo'n ffrindiau ers y dyddiau cyntaf yn yr ysgol bach. Yn gynnar iawn yn eu haddysg, cafodd y ddau eu hel i'r gornel am gadw reiat. Doedd ganddyn nhw fawr i'w ddweud wrth ddysgu; cael hwyl oedd y flaenoriaeth. Pêl-droed a âi â bri'r ddau'r adeg hynny, ond hyd yn oed ar y cae pêl-droed roedd y ddau'n achosi anhrefn ac yn aml iawn caent eu hel oddi yno am gawod gynnar. Ond daeth rygbi i'r dref ac roedd meddylfryd a maint cyrff y ddau yn llawer mwy addas i'r gêm gorfforol honno. Yn hytrach na chael eu cosbi, caent eu canmol am eu cryfder ar y cae. Gwthient drwy'r gwrthwynebiad fel cyllell boeth drwy fenyn. Os oedd un o'r tîm arall yn colli ei ddannedd neu'n torri asgwrn ei drwyn, wel gêm galed ydy rygbi 'ndê!

Ond nid ar y caeau'n unig y ceid anhrefn. Pan yn bymtheg oed, darganfu'r ddau bleserau alcohol. Ar y dechrau âi bechgyn hŷn i'r Spar i nôl caniau iddyn nhw, ond ymhell cyn iddyn nhw fod yn ddeunaw oed, mi allai Myll a Bongo gerdded i unrhyw siop neu dafarn i brynu diod. Er y gallai'r ddau yfed galwyni cyn syrthio'n anymwybodol, doedd ond angen dau beint o lagyr iddyn nhw golli rheolaeth yn llwyr. Doedd hi'n ddim ganddyn nhw gael gêm taflu cwrw neu ddangos eu tinau, a dwyn merched bechgyn eraill, ac roedd hynny'n hawdd gan eu bod yn fechgyn mor fawr.

Ac roedden nhw wedi darganfod pleserau merched hyd yn oed cyn dechrau yfed cwrw. Roedd pawb wedi sylwi yn y gawod yn yr ysgol bod gan Bongo ddarn mwy na'r cyffredin a doedd hi'n ddim ganddo i'w ddangos ble bynnag y byddai. Cymerai her yn aml i roi gymaint ag y gallai o bisiau punt yn un rhes ar ei hyd ac yntau wedyn yn cael eu cadw. Unwaith cafodd ddigon i brynu dybl-CD Motorhead.

Er efallai nad oedd darn Myll gyn hired, roedd ei wallt coch cyrliog yn gwneud i fyny am hynny. Myll oedd ffefryn y merched. Doedd ond raid iddo edrych arnyn nhw efo'i lygaid gleision a gwthio'u cariadon i un ochr ac roedden nhw yn ei ddwylo. Doedd ond un peth ar feddwl Myll ac nid trafod barddoniaeth oedd hwnnw. Roedd bod heb ddynes am fisoedd wedi effeithio'n ddrwg ar y ddau. Wedi mis a hanner roedd y ddwy ddol blastig yn rhacs ac roedd y ddau wedi gorfod meddwl am ffyrdd eraill i gael gwared ar eu rhwystredigaethau.

'Wyt ti'n meddwl bod yna homos ar Delta Cew-fflocs?' gofynnodd Myll un diwrnod.

'Os oes 'na, mi stida i nhw os dôn nhw'n agos ata i.'

'A finna hefyd,' ategodd Myll.

'Ti'n siŵr? Ti'm yn dechra troi'n homo am bod 'na ddim dynas yma?'

'Esu, nadw.'

'Ti'n siŵr? Oedda chdi'n sbio'n o ryfadd ar 'y nhin pan o'n i'n cachu ddoe.'

'Na, go iawn. Sbio ar dy datŵ di o'n i.'

'Esu, neith y ddau ohonach chi gau'ch cega? Dwi'n trio cysgu,' meddai JP oedd yn gorwedd ar lawr y capsiwl wedi rowlio i fyny fel cath o flaen tân. Ond doedd yna ddim cyfle i gysgu pan oedd y ddau lembo'n herian ei gilydd. Penderfynodd JP godi ar ei eistedd ac edrych allan drwy'r ffenest ar y sêr yn gwibio yn y tywyllwch. Taflodd olwg ar y calendr ar y wal. Roedd bron i fis arall i fynd. Roedd yn hwyr glas ganddo gael ei draed ar y ddaear, neu ar Delta Equinox o leiaf. Tybed a fyddai'n dychwelyd oddi yno? Tybed a gâi o gymar o ryw fath yno? Dyna fuasai'n ddelfrydol gan ei fod yn siŵr y byddai'r 'gwŷr busnes lleol' yn disgwyl amdano pan laniai'n ôl yn Fflorida; fyddai hi ddim yn hawdd iawn dod yn ôl adref heb i neb wybod hynny!

Daeth syched arno. 'Rhywun isio peint o lagyr?' gofynnodd

38

i'r ddau oedd wedi distewi erbyn hyn ac yn rhoi tro arall ar geisio cwblhau croesair Cornel y Plant.

'Dim rŵan, JP. 'Da ni'n brysur. Be ydy "Anifail sy'n canu grwndi", tri letyr?'

'Cath,' meddai JP wrth godi o'r llawr.

'Mae 'na bedwar letyr yn "cath".'

'Nag oes, tair. C A Th.'

'Oes 'na'm fath letyr â Th, T H ydy o ac mae hynny'n ddau.'

Collodd JP ei limpyn. 'Dyro blydi rwbath tisio yna. Dwi'n mynd i dynnu peint!'

Aeth JP at y peiriant a phwysodd y botwm. Llanwyd y gwydr â hylif melyn. Cododd y gwydr i'r golau. 'Esu, mae 'na ben da ar hwn, hogia,' meddai gan gymryd cegiad.

Cododd y ddau eu golygon o'r papur. 'O, blydi hel,' meddai Myll. 'Ti'm di dŵad i'r mashîn gwneud lagyr, Bongo!'

Poerodd JP y lagyr dros y capsiwl. Dechreuodd goleuadau fflachio ar y bwrdd switsis.

'Blydi hel, JP! Yli be ti wedi neud!'

'Abandon ship! Abandon ship!' gwaeddodd Myll gan roi ei helmed ymlaen.

Tynnodd JP hances o'i boced a dechrau sychu'r switsis. 'Peidiwch â phanicio, hogia bach. Ylwch, maen nhw'n diffodd fesul un,' ac ymlaciodd y ddau.

Digon digyffro fu gweddill y daith. Roedd pawb wedi blino yn y gofod a Myll wedi dechrau croesi'r dyddiau fesul un oddi ar y calendr. Gydag ond rhai dyddiau i fynd, daeth neges o NASA. Roedd yn bryd dechrau paratoi i lanio. Tynnodd y ddau eu llyfrau allan, a dechreuwyd pwyso botymau yn ôl y cyfarwyddyd. Trodd y capsiwl yn araf fel ei fod â'i din tuag at Delta Equinox oedd erbyn hyn i'w gweld fel pelen biws oedd yn mynd yn fwy ac yn fwy bob tro yr edrychent allan drwy'r ffenest.

Daeth sŵn i lenwi'r capsiwl. Cerddoriaeth efallai, rhywbeth tebyg i Pep le Pew ar eu gwaethaf. Yna llais.

'Be uffar ma' hwnna'n drio'i ddeud?' gofynnodd Myll

mewn penbleth, ond roedd Bongo wedi estyn at ei flwch cyfieithu. Pwysodd y botwm.

'Croeso i Delta Equinox,' meddai'r llais. 'Rydych nawr o fewn awr i lanio.' Doedd dim cyfle rŵan i gael hwyl a herian, roedd rhaid canolbwyntio ar y glanio.

Eisteddai JP y tu ôl i'r ddau gan gnoi ei ewinedd. 'Ydach chi'n dallt be 'da chi'n neud, hogia? Gobeithio myn uffar i.'

Ddywedodd yr un o'r ddau air yn ôl wrtho, gymaint yr oedden nhw'n canolbwyntio ar ddilyn y cyfarwyddiadau. Dechreuodd y capsiwl grynu – roedden nhw yn atmosffer y blaned. Doedd dim i'w weld allan drwy'r ffenest ond mwg trwchus, gwyn wrth iddyn nhw ddisgyn drwy'r cymylau. Yn sydyn arhosodd y cerbyd.

'Pwysa hwnna rŵan, Myll.'

'Be, 'run coch yma?'

'Naci, siŵr dduw, yr un melyn!'

'Ti'n siŵr? O ia, wela i rŵan,' a dechreuodd y capsiwl ddisgyn yn araf, araf tuag at ddaear Delta Equinox. Yna arhosodd.

'Rydan ni yna!' gwaeddodd Myll gan dynnu ei helmed.

Cododd y tri ac aeth Bongo i agor y drws. Trodd yr handlen fawr yn araf, a dechreuodd y drws agor. Daeth haul coch i lenwi'r capsiwl. Myll oedd y cyntaf i gamu allan. Rhoddodd ei law dros ei lygaid rhag y golau cryf ac wedi i'w lygaid ymgynefino â'r golau gwelodd resaid o greaduriaid o'i flaen. Erbyn i Bongo gyrraedd ato, roedd un o'r creaduriaid yn sboncio tuag atynt. Torrodd wynt ac estyn ei goes allan. Gwnaeth Myll a Bongo 'run fath.

Pwysodd Myll y blwch cyfieithu a chyfarchodd y Delta Nocsun. 'Esu, 'sa peint yn dda rŵan. Lle ma'r pỳb agosa?'

5

Doedd gan y blwch cyfieithu ddim gair am bỳb na thafarn, ac edrychodd y Delta Nocsyn blaenaf yn syn ar yr horwth coch o'i flaen. 'Fy enw i yw Niblo. Fi yw pennaeth y rhanbarth hwn o Delta Equinox. Croeso i'n planed ni,' meddai.

Edrychodd Myll ar Bongo gan nad oedd ganddo'r syniad lleiaf sut i ymateb i gyfarchiad Niblo. Cafodd edrychiad gwag yn ôl. Yna cododd y ddau eu sgwyddau cyn estyn eu dwylo allan.

'Myll dwi . . . o Gnarfon.'

'A fi . . . ond Bongo ydi'n enw i.'

Cododd Niblo ei ddwylo i'r awyr, a gwnaeth y saith creadur y tu ôl iddo 'run modd. 'Myll, Bongo . . . Myll, Bongo . . . Myll, Bongo!'

Edrychodd y ddau ar ei gilydd unwaith eto. Myll oedd y cynta i godi ei ddwylo i'r awyr. 'Delta Nocsus, Delta Nocsus!' gwaeddodd ac ymunodd Bongo ag o rai eiliadau'n ddiweddarach.

Distawodd y cyfarchion. Camodd Niblo'n ôl a daeth creadur arall i sefyll wrth ei ochr. 'Hon yw fy mrenhines, Ijiffani,' meddai.

Edrychodd y ddau ar ei gilydd. 'Slym!' 'Fodan!' Archwiliodd y ddau y Delta Nocsan yn fanwl.

'Ma' hi'n fflat fatha bechdan,' oedd sylw cynta Bongo. 'A does 'na fawr o siâp arni. Gei di hi. Ai i chwilio am rwbath arall. Siawns dydy'u merchaid nhw i gyd ddim fatha hon.'

'Hogia bach, calliwch . . . neu mi fyddan nhw wedi'ch byta chi.' Roedd JP wedi dod allan o'r llong ofod erbyn hyn.

Camodd at Niblo ac estyn ei law allan. 'J P Jones ydw i. Fi sydd wedi talu am y trip 'ma. Mae'n bleser gen i'ch cyfarfod chi, Niblo, a chitha Ijiffani,' meddai cyn plygu ei ben fel arwydd o barch.

Roedd Niblo wedi sylwi'n syth bod yna fwy o urddas yn perthyn i JP ac mai ganddo fo y byddai'n cael fwyaf o synnwyr. 'Dilynwch fi, gyfeillion,' meddai a throdd ar ei sawdl. Cychwynnodd yr orymdaith gyda Niblo a JP ar y blaen. Yna Ijiffani, gyda Bongo a Myll y tu ôl iddi'n edrych ar ei thin. Roedd gweddill y Delta Nocsus yn eu dilyn mewn un rhes.

Doedd trigolion Delta Equinox ddim yn annhebyg i bobol y Ddaear. Roedden nhw tua'r un maint, ond eu croen yn lasach. Doedd dim cymaint o fanylion ar eu hwynebau ac roedd hi'n anodd dweud a oedden nhw'n hapus i weld y tri ai peidio. Trwyn bach iawn oedd ganddyn nhw a dwy glust fel cwningen ond yn gwthio am yn ôl. Roedd hanner isaf eu hwynebau fel un bwldog a cheg lydan ar ei flaen. Tri bys oedd ar bob llaw, ond roedd ganddyn nhw ddau fawd. Siaradent â sŵn fel clwcian ieir yn crafu ar y buarth, ond gyda'r blychau cyfieithu oedd gan bawb doedd dim problem i'r ddwy ochr ddeall ei gilydd.

Gwisgai'r Delta Nocsus amrywiaeth o ddillad. Dillad tyn oedd gan Ijiffani, ond gan ei bod yn syth fel polyn chodai hi fawr o awydd ar y ddau o Gaernarfon er na chawsant ddynes ers sawl mis. Gwisgai Niblo glogyn hir dros grys-t a thrwsus pen-glin tra oedd y criw y tu ôl iddyn nhw mewn amrywiaeth o grysau amryliw a thrwsusau'n cyrraedd at eu sgidiau du sgleiniog.

O fewn dim roeddent wedi cyrraedd at gerbyd pinc, deg olwyn. Roedd ysgol yn arwain at ddrws yn ei ochr. Niblo ac Ijiffani aeth i mewn gyntaf, yna'r tri o'r Ddaear. Aeth un o'r Delta Nocsus i'r blaen, gan gydio mewn polyn a botymau arno. Pwysodd un, a chychwynnodd y cerbyd yn araf a di-sŵn. Eisteddodd y tri Daearyn yn ôl yn y cadeiriau esmwyth gan edrych allan drwy'r ffenestri. Gwibiai'r cerbyd heibio bryniau bychain ac arnynt dyfiant porffor tebyg i Gefn Du ar gyrion

Caernarfon dan gwrlid o rug. Doedd dim ffordd i'w dilyn, ond gwibiai'r cerbyd pinc ar felynwellt rhwng y bryniau. Yma ac acw gwelid anifeiliaid yn pori neu'n rhedeg i ffwrdd o lwybr y cerbyd. Roedden nhw o bob lliw a llun, a'r un ohonyn nhw'n debyg i ddim a geid ar y Ddaear.

Trodd Myll at Nocsun oedd yn eistedd gyferbyn ag o. 'Oes 'na jans am beint?' Edrychodd hwnnw'n syn arno. Edrychodd Myll ar ei flwch cyfieithu. Oedd, roedd y golau'n dal ymlaen. Gofynnodd eto, ond y tro hwn gwnaeth arwydd codi gwydr â'i law. Gwenodd y Nocsun arno ac estyn am fag oedd ar silff uwch ei ben. Tynnodd botel allan a'i hestyn i Myll. Archwiliodd Myll hi'n fanwl. Doedd o'n deall dim oedd ar y label. Doedd dim i awgrymu bod yna alcohol ynddi. Corcyn troi oedd arni ac agorodd Myll hi, cyn rhoi ei drwyn ger ei cheg. Sniffiodd; roedd arogl tebyg i bwdin reis arni. Cododd y botel i'w geg a chymryd jòch. Roedd Bongo wedi cymryd diddordeb mawr yn y botel ac yn disgwyl yn eiddgar i Myll roi ei farn ar y ddiod, ond nid ei farn a gafodd o ond llond ceg o ddiod pwdin reis dros ei wyneb.

'Be sa'n ti'r basdad gwirion!' gwaeddodd gan rwbio'r hylif roedd Myll wedi'i boeri i'w wyneb.

'Mae 'na flas fatha piso cath arno fo!' meddai Myll.

Erbyn hyn roedd Bongo wedi cydio yn siwt ofod Myll ac wedi'i dynnu tuag ato. Camodd JP tuag atynt. 'Hogia bach! Calliwch! Dwn i'm be ma'r Nocsus yma'n feddwl ohonach chi. Mae'n siŵr 'u bod nhw'n meddwl bod pawb ar y Ddaear fatha chi'ch dau. Duw a'n helpo ni! Byhafiwch o hyn allan; dydan ni ddim isio cael ein hel adra a ninna ond newydd gyrraedd!' a throdd JP i ymddiheuro i'r Nocsus gan ychwanegu mai straen y daith hir drwy'r gofod oedd wedi effeithio ar y ddau ac nad oedd pawb ar y Ddaear yr un fath â nhw.

Funudau'n ddiweddarach, gwelai'r tri bentwr o adeiladau lliwgar, siâp iglw, yn y pellter. Trodd Niblo tuag atynt i ddweud y bydden nhw'n cyrraedd y dref ymhen dim. Symudodd y ddau yn nes at y ffenestri i gael gweld trigolion y dref ac i edrych a fyddai yna arwyddion ar yr adeiladau a awgrymai bod alcohol ar werth yno.

Arhosodd y cerbyd pinc ger yr iglw mwyaf ar y sgwâr. Roedd twr o greaduriaid wedi ymgasglu o'i gwmpas. Agorodd drws y cerbyd a chamodd Niblo allan. Cododd y creaduriaid eu dwylo i'r awyr a dechrau llafarganu. JP oedd yr ail allan, ac yna Myll a Bongo. Distawodd y canu, cododd Niblo ei ddwylo i'r awyr ac yna trodd i wynebu y tri Daearwr. Cyflwynodd nhw i'r dorf. Myll, Bongo a Jê-Pî.

Yna camodd chwe chreadur i'r sgwâr. Roedd offeryn tebyg i gitâr dew gan bob un. Trawyd cord nid annhebyg i ddechrau *Hard Day's Night* a dechreuodd y chwech gamu fel y *Shadows* gynt i guriad y gân. Doedd Myll a Bongo ddim yn drwglicio'r gerddoriaeth, ond dyn emynau a chorau meibion oedd JP a doedd y sŵn ddim at ei ddant o.

Daeth y gân i ben wedi naw munud a chafodd y tri gyfarwyddyd i ddilyn Niblo i'r iglw mawr gwyrdd. Er nad oedd ffenest yno, roedd yr adeilad wedi'i lenwi â golau fel golau dydd a hynny heb yr un lamp i'w gweld yn unlle. Roedd bwrdd mawr ar ganol y llawr a byrddau llai ar hyd ochr y stafell. Aeth Niblo â'r tri Daearwr i ben y bwrdd mawr ac eistedd gan wynebu'r llys. Ymunodd Ijiffani â nhw gan eistedd rhwng Myll a Bongo. Cafwyd sawl araith yn croesawu'r tri a sawl cân yn clodfori'r digwyddiad hanesyddol hwn. Trodd Niblo at y tri gan ofyn pwy oedd am ddweud gair. Brysiodd JP i'w draed rhag i un o'r ddau arall gael cyfle i agor eu cegau. Diolchodd am y croeso. Dywedodd gymaint o fraint oedd hi i'r tri gael bod ar Delta Equinox gan obeithio mai ond dechrau oedd hyn ar berthynas barhaol rhwng y ddwy blaned. Eisteddodd i lawr wedi pum munud a thra curai Myll a Bongo eu dwylo mewn cymeradwyaeth, taro'u pengliniau wnâi'r Nocsus.

Tynnodd Niblo bib o'i boced a chwythodd iddi. Daeth sŵn fel mwyalchen wedi'i styrbio ohoni ac agorodd drws ym mhen draw'r stafell.

'Be sy'n digwydd rŵan?' gofynnodd JP.

'Amser bwyd,' atebodd Niblo. 'Mi ddaw'r caethferched â bwyd a diod i ni.'

Goleuodd llygaid Bongo wrth glywed y gair diod, ond doedd Myll ddim yn rhy siŵr wedi'r profiad efo'r piso pwdin reis. Ond anghofiodd y ddau am ddiod pan welsant y gyntaf o'r caethferched yn nesáu at y bwrdd. Aeth y ddau'n ddistaw. O'u blaenau roedd rhes o ferched prydferth, siapus yn cerdded tuag atyn nhw a'r nesaf peth i ddim amdanyn nhw.

'Ffy . . . ffy . . . cin hel!' meddai Bongo. 'Ffy . . . ffy . . . ' ond methodd â gorffen ei frawddeg. Roedd wedi anghofio am bopeth. Doedd o ddim hyd yn oed wedi sylwi fod ei gwd wedi codi'n galed a'i blaen yn curo dan y bwrdd fel cnocell y coed.

Roedd Ijiffani wedi sylwi bod gan y ddau ddiddordeb mawr yn y caethferched. Trodd at Bongo. 'Caethferched yw'r rhain. Maent hwy o lwyth sydd islaw i ni. Dydyn ni'n gwneud dim â nhw, nhw sy'n ein gwasanaethu ni. Mae deddfau'r blaned yn dweud na chawn ni gyfathrachu â nhw.'

Ond doedd Bongo yn gwrando dim arni. Roedd caethferch wedi cyrraedd atynt gyda hambwrdd llawn bwyd. 'Su'mai, del,' meddai Bongo gan wenu'n gariadus arni. Anwybyddodd y gaethferch o. Yna pwysodd ymlaen tuag ati wedi gwneud yn siŵr fod ei flwch cyfieithu'n gweithio. 'Be ti'n neud heno? Ti ffansi . . . ' ond chafodd o ddim cyfle i orffen ei gwestiwn gan fod JP wedi cydio yn nhin ei drwsus a'i dynnu'n ôl i'w sêt.

'Gad lonydd iddi. Slêf ydy hi. Chei di'm twtsiad hi, yn ôl Niblo. Os nei di, mi dorran nhw dy geillia di i ffwrdd.'

Eisteddodd Myll a Bongo'n ôl yn eu seddi wedi i'r caethferched ddychwelyd drwy'r drws ym mhen draw'r stafell. Sychodd y ddau'r chwys oddi ar eu talcenni a llacio blaen eu trwsusau i wneud lle i'w cociau rhag iddyn nhw rwygo brethyn blaen y siwtiau gofod.

Fuodd yr un o'r ddau'n rhyw ffysi iawn efo'u bwyd. Bwytaent bob dim a roddid o'u blaenau, ar wahân i fwyd cwningen, a doedd ffrwythau ddim yn uchel iawn ar eu blaenoriaethau. Felly, roedd hi'n gryn siom nad oedd dim byd tebyg i gig ar y bwrdd. Rhyw fath o ffrwythau a llysiau, a'r rheiny o bob lliw a llun, oedd ar y platiau.

'Be uffar 'di'r rhain?' gofynnodd Bongo gan godi un i'w s'nwyro. 'Mae 'na ogla fatha chwd cath ar hwn.'

Roedd JP wedi'i glywed. 'Iesu, hogia bach, wnewch chi fyhafio! Gests ydan ni'n fan'ma. Sut fysa ti'n teimlo os fysat ti'n dŵad â rhywun adra a hwnnw'n deud bod 'na flas fath â chwd cath ar fwyd dy nain?'

'Ond mae 'na,' atebodd Bongo.

'Oes, go iawn,' ychwanegodd Myll. 'Mae bwyd nain Bongo'n ffwcedig. Dyna pam mae o'n yfad gymaint, er mwyn iddo fo gael fitamins.'

Ond ar wahân i bils, doedd yr un o'r tri wedi cael bwyd go iawn ers misoedd. Cythrodd JP i'r pentwr ar y plât o'i flaen a chymryd cegaid. 'Duw, mae o'n iawn, hogia. Mae blas iawn arno fo, er dwi'n siŵr ei fod o'n uffernol am godi dŵr poeth.'

Gwnaeth Myll yr un modd. 'Mae blas tebyg i suryp-o-ffigs ar hwn,' meddai gan ddal clamp o belen werdd yn ei law.

'Esu, gobeithio nei di ddim dechra cachu yn fan'ma, Myll. Dwn i'm lle uffar ma'r bogs.' Trodd at JP. 'Ydy'r Nocsus yn cachu, JP? Gofyn i Niblo ydyn nhw'n piso a chachu fatha ni.'

Roedd JP yn prysur gnoi rhywbeth a ymdebygai i datysen binc llachar. Rhoddodd y llysieuyn i lawr a throdd at y ddau. 'Yda chi'n sylweddoli bod cwîn Ijiffani'n ista rhyngddoch chi? 'Da chi'n gneud dim ond sôn am biso, cachu a chwd ac ma' hi'n trio byta.' Trodd JP at y frenhines a gwenu arni. Gwenodd honno'n ôl. ''Da chi'n dallt ei bod hi'n dallt bob dim 'da chi'n ddeud drw'r bocs 'na sgin hi rownd ei chanol?'

'Ond os nad ydyn nhw'n cachu yma, JP, dydy hi ddim callach, yn nacydi?'

Roedd JP ar fin codi i roi pelten iddo pan agorodd y drws yn y cefn unwaith eto a daeth rhesaid o ferched bron yn noeth allan. 'Pwdin!' meddai Bongo gan godi ar ei sefyll i gael eu gweld yn well.

'Sgwn i be sydd gynnon nhw i bwdin? Jeli, cwstad?' gofynnodd JP.

'Dim pwdin felly, JP! Pwdin blew 'ndê,' ceisiodd Myll egluro.

Roedd Ijiffani wedi sylwi ar y lwmp anferth ym mlaen trwsus Bongo. 'Beth yw'r lwmp yna sydd gan Bongo?' gofynnodd i Myll.

'Coc, musus, y fwya yng Nghnarfon, yng Nghymru o bosib, ar y Ddaear ella.'

'Beth yw coc, Bongo?'

'Rarglwydd, sgynno chi ddim cocia yn Delta Equinox? Wel coc ynde!' Doedd neb wedi gofyn iddo geisio egluro beth oedd coc o'r blaen a châi hi'n anodd i ganolbwyntio gan fod y caethferched wedi cyrraedd at y bwrdd erbyn hyn. Trodd at JP.

'JP. Deud ti wrth Ijiffani be 'di coc.' A throdd Ijiffani i gyfeiriad JP.

'Wel, cwîn, ym, beth sydd gan ddyn rhwng ei goesau a beth sydd gan ddynes ar ei meddwl.'

'Oes ganddoch chi un, Jê-Pî?'

'Wel, oes . . . '

'A gaf fi ei gweld hi?'

'Rarglwydd! Dim yn fan'ma!'

'Ond mi ellwch chi ei dangos i bawb. Mae pawb pwysig yma.'

'Wel, ym, sut dduda i wrtha chi. Ar y Ddaear, o lle 'da ni'n dod, dydy dynion ddim yn dangos eu cocia i bawb. Ddim yn gyhoeddus felly.'

'O. Pa bryd ydych chi'n dangos eich cocia felly?'

'Wel, ym. Eu dangos nhw i'n gwragedd a'n cariadon ydan ni.'

'A beth wedyn?'

Rarglwydd, meddai JP wrtho'i hun, mae ganddon ni lot i'w ddysgu i'r Nocsus. Ond erbyn hyn, roedd un o'r caethferched yn sefyll o'i flaen, ac yn wir mi fysai'n llawer gwell ganddo ddangos ei goc i honno nag i Ijiffani.

47

'Ym, mae beth sy'n digwydd wedyn reit gymhleth. Mi gymerith amser i egluro. Mi . . . ' ond roedd Myll a Bongo ar y bwrdd erbyn hyn a'u pengliniau yn y ffrwythau amryliw yn ceisio siarad ag un o'r caethferched.

Gwelodd JP o gornel ei lygaid Nocsun cyhyrog â chwip yn ei law yn camu tuag at y ddau. 'Hogia, rhowch gora iddi. Mae'r bownsar ar y ffordd.'

Ond roedd y ddau wedi clywed rhybuddion tebyg ganwaith o'r blaen a styrbiwyd dim arnyn nhw. Roedd y bownsar ar fin codi'i chwip pan gododd Niblo ar ei draed a dal ei freichiau allan. 'Amser dawnsio,' meddai, ac ar hynny cydiodd y bownsar yng ngwallt y gaethferch a'i llusgo'n ôl am y drws cefn.

'Hei, cwd! Dyro'r gorau iddi,' meddai Myll wrth neidio dros y bwrdd, ond aeth yn syth i freichiau Nocsan oedd dan yr argraff ei fod eisiau dawnsio â hi. Rhoddodd ei breichiau hir am ganol Myll a gwthio'i chorff di-lun i'w un o, ac er ei bod yn debycach i rolyn o garped o ran siâp nag i ddynes mi gafodd Myll fin. Nid symud yn ôl ac ymlaen oedd y Nocsus wrth ddawnsio ond symud i fyny ac i lawr ac roedd y greadures yn gwthio'n galed yn erbyn ei gwd.

Rhwbiodd Myll ei ddwylo ar hyd ei chorff gan obeithio y byddai'n cael hyd i rywbeth fyddai o ddiddordeb iddo, ond doedd dim. 'Mi rwyt ti'n dawnsio'n dda,' meddai'r Nocsan yn ei glust.

'Practis mêcs pyrffect yndê, del. Be 'di d'enw di?'

'Taitas.'

Roedd sawl Nocsan wedi gofyn i Bongo ddawnsio, ond doedd o ddim yn ffansïo'r un ohonyn nhw wedi iddo weld y caethferched ac eisteddodd wrth y bwrdd yn bwyta gweddill y wledd. Roedd hyd yn oed JP wedi codi ar ei draed ac roedd yn dynn ym mreichiau Nocsan oedd wedi gweld dyddiau gwell.

Roedd Bongo wedi clirio'r platiau'n lân erbyn i'r gaethferch ddod yn ôl i glirio'r bwrdd. Roedd clais ar ei boch. 'Y basdad yna darodd chdi?' gofynnodd.

'Shhh, paid â deud dim. Wela i di y tu ôl i'r iglw melyn a gwyrdd am hanner nos,' meddai, a chydiodd mewn pentwr o blatiau a diflannu drwy'r drws yn y cefn.

Daeth y dawnsio i ben ryw awr yn ddiweddarach. Roedd Bongo wedi diflasu. Bu'n dawnsio â Nocsan neu ddwy ac er bod eu cyrff yn dynn yn erbyn ei un o, chynhyrfai o ddim. Roedd ei feddwl ar y gaethferch.

Gwaeddodd Niblo am ddistawrwydd a throdd pawb tuag ato. 'Gyfeillion, daeth dawns croesawu'r Daearwyr i ben. Diolch i chi i gyd am ddod yma.' Yna trodd at y tri Daearwr, 'Mi aiff fy ngwas â chi i'ch cartref newydd.' Safai hwnnw o'u blaenau yn syth fel procer. Yna trodd ar ei sawdl, a brysiodd JP ar ei ôl. Doedd dim angen y cerbyd pinc y tro hwn, gan fod eu cartref newydd ddeg iglw i ffwrdd o balas Niblo. Troellodd y tri rhwng yr adeiladau gan ddilyn y gwas. Edrychai Bongo o'i gwmpas. Ble mae'r iglw melyn a gwyrdd?

'Oes yna iglw melyn a gwyrdd yma?' gofynnodd i'r gwas.

'Oes,' atebodd. 'Mae o bedwar iglw i ffwrdd o'ch un chi.'

'Be uffar wyt ti'sio iglw melyn a gwyrdd?' gofynnodd Myll iddo.

'Tamad, yndê boi. Tamad,' meddai dan ei wynt rhag ofn i JP ei glywed.

Erbyn hyn roedden nhw wedi cyrraedd eu cartref newydd; iglw gwyn oedd o gyda chylchoedd coch o gwmpas y drws a'r ffenestri. Agorwyd y drws ac aeth y tri i mewn. Roedd pedair stafell yno. Tair stafell wely a lolfa.

'Lle ma'r bog?' gofynnodd Myll.

Cododd y gwas ei ysgwyddau. 'Nid ydwyf i'n deall.'

'Lle piso, cachu?'

Unwaith eto edrychodd y gwas yn syn. Pwysodd Myll y botwm ar y blwch cyfieithu ac ail-ofyn y cwestiwn ond doedd y gwas ddim callach.

'Dydyn nhw ddim yn piso *na* chachu yma!' meddai Myll mewn anghredinedd. 'Fydd raid i ni jest neud y tu allan i'r drws.'

'Na newch wir. Dim o'r fath beth. Mi wna i gael gair efo Niblo yn y bore. Tan hynny, rhaid i chi ddal,' meddai JP yn sarrug.

Dewisodd y tri eu hystafelloedd a chan nad oedd gwaith dadbacio ganddynt, mi aeth bob un i orwedd ar hamoc oedd yn crogi yng nghornel pob stafell wely.

'Dwi am fynd i gysgu rŵan,' meddai Myll. 'Dwi'n nacyrd.'

'A finna hefyd,' meddai JP.

Edrychodd Bongo ar ei watsh; roedd yn ddeng munud i hanner nos. Cymerodd arno ddechrau chwyrnu, ac o fewn dim distawodd y ddau arall. Roedd y gwas wedi cyfeirio at bentwr o ddillad ymhob stafell gan awgrymu y dylent eu gwisgo. Cododd Bongo a rhoddodd wisg las amdano. Agorodd ddrws ei stafell yn araf, ac yna ddrws yr iglw. Roedd dwy leuad werdd lachar uwchben. Anelodd yn ddistaw tuag at gyfeiriad yr iglw melyn o gwyrdd. Roedd popeth yn ddistaw ar wahân i ambell anifail yn udo yn y pellter. Cerddai'n ddistaw yn ei slipars newydd ac o fewn dim roedd wedi cyrraedd at yr iglw. Doedd neb i'w weld. Cerddodd o amgylch yr adeilad. Neb. Edrychodd ar y ddwy leuad unwaith eto.

'Pssst!' meddai llais o wrych porffor gerllaw. Ac wrth i Bongo gyrraedd ato, daeth llaw luniaidd allan a'i lusgo i'r llwyn.

'Chdi . . . ' ond chafodd o ddim gorffen ei gwestiwn. Roedd llaw dyner ar draws ei geg. Cydiodd y gaethferch yn ei law a'i dywys yn araf allan o'r gwrych.

'Dilyn fi,' meddai, a sleifiodd y ddau o'r gwrych ac o amgylch yr iglw agosaf. Doedden nhw ond wedi mynd rhyw ganllath, pan ddaeth cysgod mawr ar draws eu llwybr.

'Aros!' meddai llais Nocsaidd tyfn. Roedd dau fownsar yno. 'Gollwng y gaethferch!' Anwybyddodd Bongo'r gorchymyn. Cododd un bownsar ei law i daro'r gaethferch ond neidiodd Bongo amdano gan ei daro i'r llawr. Roedd y llall wedi estyn ei bastwn, ond doedd o erioed wedi dod ar draws gŵr gwyllt o Gaernarfon o'r blaen a chafodd o ddim cyfle i'w ddefnyddio.

Plannodd Bongo'i ddwrn dan ên y bownsar a disgynnodd hwnnw fel lleden ar y llawr. Roedd y llall ar fin codi, ond wnaeth o ddim gan i flaen troed Bongo suddo i'w stumog.

'Tyrd,' meddai'r gaethferch. 'Mi rydyn ni mewn cryn drafferth,' a chydiodd yn llaw Bongo gan ei dywys ar frys rhwng yr iglws.

Cysgodd Myll a JP fel dau dwrch. Dyma'r noson gyntaf iawn o gwsg iddyn nhw'i chael ers gadael y Ddaear. Y bore canlynol, safai Myll yn ei wai-ffrynts pum mis oed ar ganol llawr y lolfa. 'JP, dwi isio piso. Be wna i?'

'Dal arni, was, mi awn ni draw i weld Niblo rŵan.'

Ond chawson nhw ddim cyfle i fynd i weld Niblo. Roedd Niblo wedi dod i'w gweld nhw. Clywyd curo ar y drws. Penderfynodd JP y byddai'n well iddo fo ei agor. Doedd gweld Myll yn ei drôns ben bore ddim yn olygfa hyfryd. Doedd Niblo ddim ar ei ben ei hun. Roedd Nocsun mawr, cydnerth bob ochr iddo. Camodd i mewn. 'Ddaearwyr, mae'n flin gen i ddweud. Ond mae un ohonoch wedi camddefnyddio ein cyfeillgarwch.'

Edrychodd JP yn syn. Doedd Myll ddim wedi cweit deall beth oedd o wedi'i ddweud.

'Mae Bongo nid yn unig wedi taro dau o'm gwarchodwyr, ond mae o wedi diflannu i'r bryniau gyda . . . gyda chaethferch,' meddai'n flin.

'Blydi hel!' meddai JP. 'Be uffar wnawn ni rŵan?'

6

Roedd Myll eisiau cachu'n ddiawledig erbyn hyn. 'Doedd o wedi bwyta mwy o ffrwythau a llysiau'r noson cynt nag a wnaeth o erioed? Roedd JP mewn dipyn o stad wedi ymweliad Niblo. 'Duw, 'di hi ddim mor ddrwg â hynna, JP,' meddai. 'Mi ddaw Bongo i'r golwg o rywle.'

'Ti'm yn dallt yn nagwyt?'

Edrychodd Myll yn syn arno. Na, doedd o ddim.

'Wyt ti isio mynd adre'n ôl? Wyt ti isio gweld dy fam eto?'

'Dim felly.'

'Wyt ti isio cael peint yn y Blac Boi eto?'

'O, oes, siŵr iawn.'

'Wel, mae'n rhaid i ni gyd fyhafio felly, neu yma fyddwn ni am byth a neb yn gwybod be 'di'n hanes ni.'

Doedd hi ddim yr amser iawn i godi mater y diffyg cyfleusterau cachu unwaith eto. 'Dwi'n mynd allan i gael awyr iach,' meddai Myll gan adael JP yn syllu ar wal foel.

Roedd hi ar y brethyn erbyn hyn ac edrychai Myll o gwmpas am rywle lle gallai ollwng ei lwyth. Roedd iglws ymhob man, ond yma ac acw roedd perthi a gwrychoedd o goed porffor. Brasgamodd Myll tuag at un ohonyn nhw. Edrychodd o'i gwmpas – doedd neb i'w weld yn rhy agos; tynnodd y trwsus melyn yr oedd wedi'i roi amdano'r bore hwnnw dan ei bengliniau ac aeth ar ei gwrcwd. Daeth rhyddhad. Papur? Lle ddiawl gâi o bapur? Doedd dim hyd yn oed welltglas na gwellt o unrhyw liw arall ar gael chwaith, a dail digon pigog oedd ar y llwyni. Tra oedd yn pendroni, clywodd lais. 'Beth wyt ti'n wneud, Myll?'

52

Taitas oedd yno, y Nocsan y bu'n dawnsio efo hi'r noson flaenorol. 'Ym, cael cachiad.'

'Cachiad? Beth yw hynny?'

Doedd Myll ddim yn un da am egluro pethau a chafodd o fawr o hwyl ar wersi bywydeg yn yr ysgol. 'Rhyw stwff brown, drewllyd sy'n dod allan o din rhywun ar ôl byta,' oedd y gorau y gallai gynnig.

'O! Beth yw "tin"?'

Doedd dim amdani ond ei ddangos.

'Dyna ryfedd!' meddai Taitas. 'Does ganddon ni ddim pethau fel yna.'

Roedd Myll wedi sylwi hynny wrth iddo fwytho'i chorff aflunaidd yn y ddawns.

'Sgin ti'm darn o bapur?'

'Papur?'

'Ia, i sychu 'nhin.'

'Mae hances gen i.'

'Mi neith honno'n iawn,' ac estynnodd Taitas hances o ddefnydd sgleiniog tebyg i sidan a newidiai ei liw wrth i'r haul daro arno. Doedd defnydd sgleiniog, llyfn ddim y peth gorau i sychu tin ond doedd ganddo ddim dewis arall.

Roedd Taitas yn ei astudio'n fanwl. 'Beth yw'r goes fach yna sydd rhwng dy goesau?'

Rarglwydd! Efallai bod hi'n llai nag un Bongo, ond doedd neb wedi'i galw hi'n fach o'r blaen. 'Ym . . . coc . . . ' Ac roedd ar fin egluro beth oedd ei diben pan ddaeth JP ar eu traws.

'Sut ydach chi, ngenath i? Mae'n fore braf.'

Onid oedd pob bore'n fore braf? Am sylw gwirion, meddai'r Nocsan wrthi ei hun, ond ddywedodd hi ddim.

Daeth sŵn mewian uchel i darfu ar ei meddyliau. Edrychodd y tri i gyfeiriad rhes o fryniau porffor.

'Maen nhw ar ôl eich cyfaill Bongo,' meddai Taitas. 'Mae o wedi gwneud peth gwirion iawn. Mynd efo caethferch. Mae hynna yn erbyn ein cyfreithiau ni.'

'Be 'di'r anifeiliaid 'na sy gynnon nhw?' gofynnodd Myll

wrth edrych ar rywbeth a ymdebygai i bysgodyn ar bedair troed yn tynnu'n galed ar dennyn.

'Bolocs ffyrnig yw'r rheina.'

Addas iawn, meddai Myll, o gofio mai ar ôl Bongo roedden nhw.

'Nid yn unig mae'r bolocs yn anifeiliaid ffyrnig ond maen nhw hefyd yn dda am ddilyn arogl. Fyddan nhw fawr o dro'n dal Bongo a'r gaethferch.'

'Be ddigwyddith iddyn nhw?' gofynnodd JP yn bryderus.

'Mi wnân nhw larpio'r gaethferch. Pe bydden nhw ar ôl un ohonon ni, mi fyddai'n cael ei lusgo'n ôl i'r dref cyn cael ei daflu i dwll mawr yn y ddaear a'i gadw yno am ei oes. Ond dwn i ddim beth ddigwyddith i Bongo.'

* * *

Wedi iddo daro'r ddau fownsar, roedd y gaethferch wedi tywys Bongo drwy ddrysfa o iglws. Yn ffodus, aeth y ddwy leuad werdd y tu ôl i gymylau a welodd neb mo'r ddau'n anelu am y bryniau porffor. Doedd Bongo wedi cael fawr o ymarfer corff ers gadael y Ddaear a châi gryn drafferth i ddal i fyny â'r ferch luniaidd a redai fel ewig o'i flaen. Gan ei bod yn nos, roedd hi wedi rhoi clogyn bychan dros y clytiau o wisg oedd ganddi, ond wrth iddi redeg codai honno gan ddangos bochau ei thin yn rhwbio yn erbyn ei gilydd. Codai cwd Bongo, hefyd, a doedd hynny fawr o help wrth geisio dal i fyny â hi.

Clywodd Bongo'n chwythu y tu ôl iddi. 'Tyrd! Brysia! Mae'n rhaid i ni gyrraedd pen y bryniau cyn iddi oleuo, neu mi fydd y bolocs ar ein gwarthaf.'

Doedd gan Bongo ddim digon o wynt i ofyn beth oedd y bolocs ond roedd yr olwg ar wyneb y gaethferch yn ddigon i'w argyhoeddi na fyddai eu cyfarfod yn brofiad pleserus. Roedd yr haul coch yn codi yn y gorllewin pan gyrhaeddodd y ddau ben un o'r bryniau. Roedd pentwr o goed tebyg i eithin yno, ond bod eu blodau'n ddu. Gwthiodd y gaethferch drwy'r llwyni a dilynodd Bongo hi. Caeodd y llwyni'n daclus ar ei hôl, ond nid cyn iddi daenu chydig o ddail y planhigion ar y llawr ble buon nhw'n sefyll. 'Mi daflith hwnna'r bolocs oddi ar ein trywydd,' meddai. 'Dydyn nhw ddim yn hoffi arogl y planhigyn yna.'

Gwthiodd y ddau drwy'r llwyni nes dod at geg ogof ac aeth y ddau i mewn. 'Yma fyddwn i'n dianc i chwarae pan oeddwn i'n fach,' eglurodd, ond doedd Bongo ddim yn gwrando ar yr un gair ddywedodd hi. Roedd yn syllu ar ei chorff lluniaidd wrth iddi dynnu ei chlogyn.

'Esu, ti'n beth handi,' meddai Bongo wedi rhai eiliadau. 'Ti'n ddelach na neb welis i'n dre na hyd yn oed ar y telifisiyn.' Doedd ei eiriau'n gwneud fawr o synnwyr i'r gaethferch. 'Be 'di d'enw di?' ychwanegodd.

'Jiwli. Be ydy dy enw di?'

'Bongo.'

'Am enw neis.'

Doedd neb o'r blaen wedi dweud bod Bongo yn enw neis na chwaith wedi peidio gofyn pam iddo gael yr enw Bongo.

'Pam na wneith y Nocsus adael i mi siarad efo chdi a'r merchaid erill?'

'Am mai caethweision ydyn ni. Mi rydyn ni'n gorfod gweithio iddyn nhw, gwneud pob dim. Dydy'r Nocsus yn gwneud dim byd ond bwyta a mynd am dro. Maen nhw'n dweud mai ni oedd bia'r blaned yma lawer iawn, iawn o flynyddoedd yn ôl a bod y Nocsus wedi dod o blaned arall a'i dwyn hi.'

'Dim ond merchaid sydd yma? Oes yna ddim dynion?'

'Oes, ychydig. Pan mae bechgyn yn cael eu geni, dydy'r Nocsus ddim yn caniatáu i ni'u cadw nhw i gyd. Maen nhw'n lladd y rhan fwyaf ond yn cadw'r rhai gorau i fridio.'

'Bridio?' meddai Bongo a'i glustiau'n codi.

'Ie, maen nhw'n cael bridio efo ni bob hyn a hyn er mwyn cael rhagor o gaethferched. Ond dim ond bob hyn a hyn rhag cael gormod ohonon ni. Mi rydyn ni gaethferched yn hoffi bridio, mae hynny'n rhoi pleser i ni, ond nid ydyn ni'n cael gwneud hynny'n ddigon aml.'

Nid oerni'r ogof oedd yn gwneud i Bongo grynu drosto. Y merchaid del yma, i gyd yn despret am secs!

'Mi wna . . . mi wna i dy helpu di,' meddai gyda pheth trafferth gan ei fod wedi dechrau anadlu'n gyflym.

Camodd Jiwli tuag ato a rhoddodd ei breichiau am ei sgwyddau. 'Nei di, Bongo, nei di go-iawn?'

Llyncodd Bongo ei boer. ''N . . . n . . . n . . . na i . . . '

Gwthiodd ei gwefusau llawnion i'w rai o. Ar hynny, aeth pengliniau Bongo oddi tano a llithrodd y ddau yn araf i lawr yr ogof. Doedd fawr o waith tynnu oddi amdani ar Jiwli a chafodd Bongo help i ddod o'i siwt las. Wnaeth hi ddim sylwi fod ganddo ddarn fel mul; mae'n siŵr mai pidlan oedd hi o'i chymharu â rhai gwŷr y caethferched, ond o leiaf roedd hi ar gael.

* * *

Roedd yr holl boeni am Bongo wedi codi cur pen ar JP ac aeth i'w iglw i orwedd ar ei hamoc. Cafodd Myll wahoddiad i fynd am dro efo Taitas, a chan nad oedd ganddo ddim gwell i'w wneud derbyniodd y gwahoddiad. Cerddent o amgylch yr iglws ac eglurai Taitas pwy oedd yn byw ynddyn nhw a pha mor bwysig oedd pawb.

O'r diwedd cyrhaeddodd y ddau gyrion y dref ac eistedd ar fainc ger pwll o ddŵr glas llachar. 'Mae hi'n hyfryd yma,' meddai Taitas.

'Ydy,' meddai Myll, gan geisio meddwl sut y gallai ofyn oedd yna rywle y gallai gael cachiad bob bore heb orfod mynd i'r llwyni rhag ofn i un o'r bownsars ei ddal. Ond chafodd o ddim cyfle; roedd rhywbeth ar feddwl Taitas hefyd.

'Wnei di egluro i mi beth yw pwrpas y goc yna sydd rhwng dy goesau?'

Doedd Myll ddim wedi gorfod egluro beth oedd hi'n da o'r blaen, dim ond ei dangos. Ond roedd y Nocsus yn wahanol.

'Mi fydda i'n ei hiwsio i biso,' meddai gan obeithio y byddai hynny'n ddigon.

Ond doedd o ddim. 'Piso? Beth yw piso?' gofynnodd Taitas mewn penbleth.

'Wel . . . os ti'n yfad lot o ddiod, mae o'n mynd i dy fol di, ac wedyn mae'n rhaid i ti ei biso fo allan drwy hon,' meddai gan gyfeirio'i fys rhwng ei goesau.

'O,' meddai Taitas. 'Ydy hi'n da i rywbeth arall?'

Llaciodd Myll ei goler. 'Ydy.'

'Beth?'

'I gadw merchaid yn hapus.'

'Neith hi fy nghadw i'n hapus?'

Daeth yn amser i ofyn y cwestiwn fu ar ei feddwl ers iddo adael y Ddaear. 'Sgin Nocsus gotshis?'

Edrychodd Taitas yn syn arno. Oedd o wedi codi cywilydd arni ynteu doedd ganddi'r un? 'Beth yw cotshis?'

'Cotsan. Sgin ti un rhwng dy goesa?'

Cododd Taitas ar ei thraed, agorodd y belt arian oedd am ei chanol a disgynnodd ei thrwsus lliw aur at ei thraed. Edrychodd Myll yn syn arni; ei hwyneb gyntaf, yna ei gafl. Doedd dim yno, dim hyd yn oed blewyn. Symudodd ei wyneb yn agosach. Yna aeth i'r cefn. Doedd dim tin yno chwaith.

'Nag oes,' meddai. Crafodd ei ben. 'Sut 'da chi'n cael plant?'

'Plant? Yn y labordy wrth gwrs.'

Labordy! Roedd Bongo'n cofio'r gair ers ei ddyddiau ysgol. Stafell oer a meinciau hir, llawn poteli drewllyd ac o ble y cafodd ei hel allan sawl gwaith. Roedd Taitas wedi sylwi fod Myll ar goll.

'Mae'r meddyg yn cymryd sampl DNA oddi arnon ni ac wedyn yn mynd ag o i'r labordy. Mae'n tywallt hylif arbennig ar ben y DNA, ac yna dri mis yn ddiweddarach, mae yna Nocsyn bach yn gorwedd yn y ddysgl. Mae o wedyn yn mynd i'r feithrinfa a wedyn pan mae o'n ddeuddeg oed mae o'n cael iglw iddo fo neu hi ei hun.'

'Be? Dim secs?'

'Secs?' gofynnodd Taitas. 'Beth yw hwnnw?'

Ond bu raid iddi ddisgwyl am ddiwrnod arall i gael eglurhad o arferion cenhedlu'r Daearwyr gan i JP frysio tuag atyn nhw. 'Mae 'na gyfarfod yn iglw Niblo. Mae o isio i ni'n dau fod yno.'

* * *

Gorweddai Bongo fel lleden ar lawr yr ogof. Fel arfer, merched fyddai'n llonydd a Bongo'n eistedd ar ochr y gwely'n gwisgo amdano. Ond roedd Jiwli wedi mentro allan o'r ogof i chwilio am fwyd ac wedi dychwelyd cyn i Bongo godi ar ei eistedd. Doedd hi ddim wedi trafferthu rhoi'r darnau dillad oedd ganddi i fynd allan ac yno roedd hi'n sefyll yn ei holl ogoniant a ffrwythau glas siâp lleuad ym mhob llaw.

'Wyt ti eisiau bwyd?' gofynnodd.

Roedd Bongo ar lwgu. Cythrodd i'r ffrwyth a bu'r ddau'n eu bwyta tra oeddent yn eistedd ar lawr yr ogof, gyda'r sudd yn araf dreiglo i lawr eu cyrff noeth. 'Oeddet ti'n hoffi hwnna?' gofynnodd a chymerodd Bongo mai cyfeirio at y ffrwyth roedd hi.

'Neis uffernol,' meddai, a symudodd Jiwli ei phen nes oedd ei cheg ger ei ên a dechreuodd lyfu'r sudd oedd yn ddiferion ar ei groen. Symudodd ei gwefusau i'w wddw, i'w frest, i'w fol . . . Ond arhosodd. Cododd ei phen.

'Wyt ti'n clywed y sŵn yna?'

Doedd Bongo ddim. Doedd yna ond un peth ar ei feddwl ond ni wireddwyd yr addewid.

'Bolocs!' meddai. Cytunodd Bongo. 'Mae'r bolocs yn nesáu. Glywi di nhw'n mewian? Maen nhw reit agos.'

Roedd Bongo, hefyd, wedi'u clywed erbyn hyn a phenderfynodd wisgo amdano. Doedd o ddim isio i folocs anferth neidio am ei gwd. 'Tyrd,' meddai Jiwli. 'Dilyn fi.' A gwthiodd drwy agen fechan ym mhen draw'r ogof. Cafodd Bongo gryn drafferth gan ei fod yn lletach na'r gaethferch ond, trwy lwc, roedd ei gwd wedi mynd i lawr neu mi fyddai'n dal yno hyd heddiw.

Daethant allan mewn ogof arall. Camodd Jiwli'n araf tuag at geg yr ogof ac edrych i bob cyfeiriad. Roedd wedi dechrau tywyllu a dim ond un o'r ddwy leuad werdd oedd wedi codi erbyn hyn. Cydiodd Jiwli yn ei law. 'Tyrd. Rydyn ni'n mynd adref.'

*　　*　　*

Roedd Niblo a'i lys yn disgwyl am Myll a JP yn yr iglw mawr. 'Eisteddwch i lawr, gyfeillion. Rydw i wedi eich galw yma i'ch sicrhau na fydd y digwyddiad . . . ym, anffodus rhwng Bongo a'r gaethferch yn amharu dim ar eich ymweliad â Delta Equinox. Rydyn ni eisiau meithrin perthynas ffrwythlon rhwng y ddwy blaned.'

Daeth rhyddhad mawr dros JP.

'Oes ganddoch chi unrhyw gwestiwn yr hoffech chi gael ateb iddo?' gofynnodd Niblo.

Camodd Myll ymlaen. 'Oes yna rywle ga i fynd i gachu ynddo?'

Edrychodd Niblo ar weddill ei lys. 'Cachu?'

Roedd JP wedi rhoi ei law dros ei lygaid mewn cywilydd. Yna camodd at yr arweinydd. Rhoddodd ei geg wrth ei glust a sibrydodd iddi. Nodiodd Niblo ond heb ei lwyr argyhoeddi. Ysgydwodd ei ben.

'Felly mi rydych chi eisiau lle – y tri ohonoch chi – i roi'r stwff anghynnes yma bob bore?'

Nodiodd y ddau Ddaearwr.

'A weithia'n pnawn . . . a gyda'r nos,' ychwanegodd Myll.

Camodd JP at Niblo unwaith eto. Sibrydodd i'w glust a chamu'n ôl eilwaith.

'A piso ydy hynny?'

'Dydy hynny ddim yn broblem,' ceisiodd Myll helpu. 'Mi alla i biso'n unrhyw le. Fydda i'n gneud hynny yng Nghnarfon.'

'Na chei wir,' meddai JP gan roi pwniad iddo'n ei asennau. 'Mi fysa rhywle ar gyfer hynny'n handi, hefyd,' eglurodd.

Trodd Niblo at un o'i ddynion a siarad yn ddistaw wrtho. Clywodd y ddau'r geiriau 'twll' a 'pabell' a 'digon pell'.

'Reit, mae hynna wedi'i drefnu. Mi fydd yna gyfleusterau i chi rhyw ganllath o'ch iglw.'

'Ond . . . ' Cafodd Myll bwniad arall.

'Diolch yn fawr, Niblo. Mi fydd hynny'n help garw.'

'Oes yna unrhyw beth arall?'

Ysgydwodd y ddau eu pennau.

'Reit, dwi wedi trefnu gwibdaith y pnawn yma, allan i'r wlad i chi gael gweld gogoneddau ein planed. Dau o'r gloch, mi ddof i'ch nôl.'

Plygodd JP ei ben mewn diolch, a gwnaeth Myll yr un modd, cyn iddynt droi ar eu sodlau a'i hanelu am eu higlw.

Roedd Taitas yn disgwyl amdanyn nhw. 'Ga i ddod i mewn am ddiod?' gofynnodd.

'Sgynnon ni ddim diod,' meddai Myll. 'O unrhyw fath,' ychwanegodd.

'Mae gen i,' meddai Taitas, a dangosodd botel a dau gwpan.

'Ty'd i mewn 'ta,' meddai Myll gan gerdded i mewn o'i blaen.

'Dwi'n mynd i orwedd i lawr am chydig,' meddai JP. 'Mae'r holl hasl yma'n ormod i rywun o fy oed i.'

Eisteddodd y ddau ar ddau lwmp o blastig ar ganol y llawr. Llanwodd Taitas y ddau gwpan ac estyn un i Myll. Cymerodd jòch. Roedd blas eitha arno, ond dim sôn am alcohol.

'Sôn am dy goc di oedden ni ddiwethaf,' meddai Taitas wedi cymryd cegaid o'r diod.

Tagodd Myll a thasgodd yr hylif ar draws y stafell.

'Wyt ti'n iawn?'

Nodiodd Myll. 'Ym, ia,' meddai wedi iddo ddod ato'i hun.

'Ga i gweld hi eto?'

'Iawn, ond mae'n rhaid i titha dynnu amdanat hefyd.'

Doedd dim rhaid gofyn ddwywaith nad oedd Taitas wedi diosg ei gwisg a'i rhoi'n daclus ar y bwrdd. Doedd ganddi ddim i'w ddangos i Myll. Doedd hi'n llyfn fel coes cig oen? Safai Myll o'i blaen yn syth fel procer fel petai o mewn syrjeri doctor yn disgwyl archwiliad.

'Dyna hi,' meddai Taitas gan gyfeirio at ei gwd.

Ymlaciodd Myll. 'Tisio gweld tric?' gofynnodd.

'Oes,' meddai Taitas a'i llygaid yn goleuo.

'Gafal ynddi.'

Gwnaeth hynny a dechreuodd y cledda godi a chaledu.

'Www! Mae hi'n mynd yn fawr ac yn galed,' meddai cyn ei gollwng fel petai hi'n cydio mewn procer poeth. 'Ga i wneud eto?'

'C . . . cei.'

Cydiodd Taitas ynddi'n hirach y tro yma a chododd y cledda i'w llawn dwf.

'Mae hyn yn hwyl,' meddai Taitas a gwên lydan ar ei hwyneb. 'Beth rŵan?'

'Ysgwyd hi i fyny ac i lawr.'

'Ara deg!' gwaeddodd Myll mewn poen. 'Dim blydi pwmp beic ydy hi!'

Ond doedd y geiriau'n golygu dim iddi, er y gwyddai ddigon i'w gollwng.

'Mae hi wedi mynd i lawr yn ôl,' meddai Taitas yn siomedig.

'Tria eto – yn ara deg y tro yma.'

Dechreuodd Myll ganu grwndi. 'Dyna fo, digon am rŵan. Ty'd, awn i ista i lawr cyn i 'nghoesa i roi odana i,' ac eisteddodd y ddau ar y llawr.

'Ga i wneud hynna eto?' gofynnodd Taitas wedi iddi wneud ei hun yn gyffyrddus ar y llawr plastig melyn.

'Cei, yn ara deg i ddechra,' a dechreuodd ganu grwndi unwaith eto.

'Ydy hynna'n iawn?'

''Chydig bach ffastach,' meddai Myll a'i lygaid wedi cau.

'Ac eto . . . ac eto . . . ac eto . . . '

'Beth yw hyn?' meddai llais o gyfeiriad y drws.

Ar hynny, gollyngodd Myll ei lwyth a gwibiodd heibio clust Taitas.

Siwt goch oedd gan Niblo'r diwrnod hwnnw ar gyfer y daith i'r wlad. Ond roedd streipen wen wedi ymddangos arni erbyn hyn.

'Ellwch ddim aros i ni gael y cyfleusterau'n barod i chi cyn i chi ddechrau piso . . . ?'

7

Roedd y cerbyd pinc, pedair olwyn yn aros y tu allan i'r iglw. Yn eistedd ger y ffenest yn codi ei llaw ar y ddau roedd Ijiffani. Doedd dim sedd i Taitas ar y cerbyd, ond wedi iddi ofyn yn garedig i Niblo ac ysgwyd ei chlustiau cytunodd iddi gael eistedd ar y llawr. Ond eistedd ar lin Myll wnaeth hi. Ymdroellodd y cerbyd pinc rhwng y bryniau porffor ac arhosai bob hyn a hyn er mwyn i Niblo gael sôn am y gwahanol nodweddion a'r llefydd o bwysigrwydd hanesyddol i'r Nocsus. Roedd JP yn dangos diddordeb mawr, ond roedd Myll wedi hen 'laru.

Roedd Taitas wedi clywed hyn i gyd o'r blaen, ac roedd yn dechrau anesmwytho ar lin Myll.

'Myll, ga i afael yn dy goc di eto?'

Doedd JP erioed wedi clywed y fath beth o'r blaen, a doedd gan y Nocsus ddim syniad beth oedd ganddi dan sylw.

Plygodd JP drosodd. 'Paid â gadael iddi, Myll. Cofia mai tu allan y mae weipars y cerbyd yma fatha rhai adra.' Yna trodd at Taitas. 'Ngenath i, dydach chi ddim i fod i wneud hynna'n gyhoeddus. 'Dio'm yn beth neis. Rhywbeth . . . rhwng dau ydy hynna i fod. Ym mhreifatrwydd cartref.'

'Pam?' gofynnodd Taitas gan edrych yn hurt arno.

Crafodd JP ei ben. 'Ym, dydan ni ddim yn gneud hynna'n gyhoeddus ar y Ddaear.'

'Ond ar Delta Equinox rydyn ni nawr.'

'Ia, ond does ganddoch chi ddim cocia ar Delta Equinox, yn nagoes,' meddai JP gan ddechrau gwylltio.

'Ond mae gan Myll un . . . a chithau, efallai.'

Roedd JP yn falch iawn bod y cerbyd wedi aros ger cofeb blastig a Niblo yn gofyn i bawb ddod allan iddo gael egluro arwyddocâd y safle. Yma y bu i'w gyndeidiau drechu trigolion gwreiddiol y blaned gan sicrhau mai y Nocsus fyddai'n rheoli'r blaned ac nid y rhai sy'n gaethweision rŵan.

*   *   *

Roedd Jiwli wedi arwain Bongo o'r ogof drwy goedwig o goed glas nes cyrraedd chwarel anferth yn y ddaear. 'Yma mae fy mhobol i'n byw,' meddai, ac wrth nesáu at ochr y chwarel gyda'i waliau serth o gerrig porffor, gwelai Bongo gytiau gwellt yn y gwaelod. 'Tyrd,' meddai gan dynnu yn ei law. 'Mi fyddwn ni'n ddiogel rhag y bolocs a'r Nocsus yma.'

Arweiniodd o at ysgol a dechreuodd ddringo i lawr. Doedd gan Bongo ddim ofn uchderau fel arfer. Sawl gwaith roedd o wedi dringo peilons ger cartref ei nain yn Llanrug, sawl gwaith roedd o wedi dringo i ben Tŵr Eryr yn y castell i boeri ar ben Saeson islaw, sawl gwaith roedd o wedi dringo i ben toeau adeiladau uchaf Caernarfon rhag i'r plismyn ei ddal wedi iddo fod yn dwyn pic-an-mics o Wlwyrth? Ond roedd mynd i lawr yr ysgol yma'n brofiad gwahanol. Roedd yn cachu brics!

Roedd Jiwli'n bell ar y blaen, yn gwibio fel gwiwer i lawr bonyn coeden. 'Brysia!' gwaeddodd wrth weld Bongo'n cymryd camau pwyllog tra'n edrych yn bryderus i'r dyfnderoedd. Penderfynodd gau ei lygaid a chyflymu ei gamau ac o'r diwedd cyrhaeddodd waelod y chwarel.

'Dyma'r pennaeth,' meddai Jiwli wrtho ac wedi iddo agor ei lygaid gwelodd y peth tebycaf i fod dynol a welodd o ers cyrraedd Delta Equinox. 'Cedoro ydy ei enw o.'

'Bongo . . . o G'narfon,' meddai gan estyn ei law iddo.

Tu ôl iddo roedd llond llaw o ferched noeth, i gyd yr un ffunud â Jiwli, ac ysai Bongo am gael ei ddwylo arnyn nhw. Ond y nhw symudodd gyntaf. Roedd y merched o'i gwmpas fel gwenyn o gwmpas pot jam. Yn amlwg, roedd yna brinder dynion yn y gwersyll.

'Cerwch chi â Bongo i gael rhywbeth i'w fwyta,' meddai Cedoro, 'ac mi ga i'r hanes i gyd gan Jiwli.'

Tywyswyd Bongo gan ddwy ferch yn cydio'n dynn yn ei ddwylo tuag at un o'r tai gwellt. Synhwyrodd Myll yr awyr. Dyna'r arogl gorau a glywodd o ers cyrraedd y blaned. Arogl rhywbeth yn coginio. Sylwodd un o'r merched ei fod yn synhwyro'r awyr.

'Eisiau bwyd wyt ti? Mae ganddon ni folocs yn rhostio. Mi wnaethon ni ddal un ddoe.' Ac wrth nesáu at y tŷ gwellt gwelodd Bongo anferth o bysgodyn yn troi'n araf uwchben tân. Am funud, roedd wedi anghofio am y merched noeth o'i gwmpas wrth iddo frysio tuag at y tân. Torrwyd tafell o gig o'r bolocs a'i roi ar blât pren cyn ei gynnig i Bongo. Gwthiodd ddarn helaeth i'w geg. Safodd yn llonydd a gadael i'r blas hyfryd ymdreiddio i'w gorff. Yna dechreuodd gnoi . . . a llyncu, a daeth tafell arall i'w blât.

'Mae'n siŵr eich bod yn sychedig,' meddai un o'r merched.

Nodiodd Bongo gan fod llond ei geg o folocs, ac estynnwyd costrel bridd tuag ato. Tywalltwyd hylif melyn i gwpan bren. Llyncodd Bongo'r darn olaf o'r bolocs ac estynnodd am y cwpan. Cymerodd gegaid. Trodd y ddiod o gwmpas yn ei geg. Llyncodd o. 'Lagyr, myn uffar i! Lle gaethoch chi lagyr, genod?'

Ond doedd ganddyn nhw ddim syniad beth oedd ganddo dan sylw. 'Rhagor?' gofynnodd un. Nodiodd Bongo eto. 'Allwn ni ddim rhoi mwy ar ôl hyn i chi. Gorchymyn gan Cedoro. Mae mwy na dau gwpaned yn gwneud rhywun yn wirion.'

Ac yn wir, teimlai Bongo ei ben yn mynd yn ysgafn. 'Doedd hi'n ddyddiau ers iddo gael lagyr, a hwnnw'n lagyr piso dryw, wel lagyr piso o leiaf, o'r peiriant yn y llong ofod?

Roedd Bongo'n eistedd yn fodlon ar un o'r cadeiriau pren pan ddaeth Cedoro a Jiwli ato. 'Mi gawsoch chi ddigon i fwyta, rwy'n gweld,' meddai Cedoro gan weld twll anferth yn ochr y bolocs rhost.

'Do, neis iawn, Cedoro. Ac mae'r lag . . . y ddiod yna'n neis iawn hefyd.'

'Ydy wir, Bongo. Ond mae'n rhaid bod yn ofalus. Mae rhai ohonon ni wedi gwneud pethau gwirion iawn ar ôl cael gormod ohono.' Nodiodd Bongo gan lwyr ddeall yr hyn roedd o'n cyfeirio ato. 'A does ganddon ni ddim llawer ohono. Rydyn ni'n gorfod casglu hadau o'r meysydd cyn ei adael mewn hylif am ddyddiau cyn y bydd yn barod.'

Tybed ydyn nhw'n gorfod gwneud hyn ar y Ddaear? gofynnodd Bongo i'w hun. Doedd o erioed wedi meddwl am hynny o'r blaen wrth iddo gael ei wala o bwmp, can a photel.

*　　*　　*

Daeth y daith i ben – o'r diwedd – ac roedd hyd yn oed JP wedi diflasu erbyn cyrraedd yn ôl.

'Taith ddifyr iawn,' meddai Ijiffani wrth ddisgyn oddi ar y cerbyd.

'Oedd wir, ffasineting.'

'Fysech chi'n hoffi dod am dro gyda mi i weld fy ngardd?'

Doedd gan JP ddim byd gwell i'w wneud, felly derbyniodd y cynnig. Rhyw ganllath o iglw Niblo roedd clwstwr o goed melyn a llwybr yn arwain tuag atynt. Dilynodd JP hi gan fân siarad am fanylion y daith. Yng nghanol y coed, roedd blodau a llwyni o bob lliw a llun. Roedd fel pe bai plentyn wedi penderfynu taflu ei baent dros bobman. Safodd JP yn stond. 'Wow! Mae hyn yn anhygoel,' meddai.

Roedd yn amlwg wedi plesio Ijiffani. Cerddodd y ddau'n hamddenol ar hyd y llwybr troellog drwy'r planhigion, ac Ijiffani'n egluro rhinweddau pob un. O'r diwedd daethant at lyn o ddŵr glas llachar a mainc ar ei lan. Eisteddodd y ddau i syllu ar y creaduriaid ehedog oedd yn codi a glanio ar wyneb y dŵr.

'Wyt ti'n hoffi fy ngardd i, Jê-Pî?' gofynnodd.

'Mae hi'n wych, Ijiffani. Does yna ddim byd tebyg iddi ar y Ddaear.'

Cydiodd Ijiffani mewn planhigion glas, hirgoes. Eu plethu,

a'u clymu am glustiau'r ddau. 'Rwyt ti'n edrych yn hyfryd, Jê-Pî.'

Chwarddodd JP wrth weld ei lun ar wyneb dŵr y llyn.

'Dwed hanes y Ddaear wrtha i,' meddai.

Lle dwi'n dechra? Dyna oedd y cwestiwn cyntaf ddaeth i'w ben. Oedd hi eisiau'r hanes ers oes yr arth a'r blaidd? Oedd hi eisiau gwybod beth oedd yn digwydd yno rŵan? Yn sicr, doedd o ddim yn mynd i ddweud ei hanes o wrthi. Dechreuodd drwy ddweud be oedd yn wahanol rhwng y ddwy blaned ac Ijiffani'n torri ar ei draws gyda'i chwestiynau di-baid.

'Pa un yw'r gorau gen ti?' gofynnodd Ijiffani pan oedd yn tynnu tua'r diwedd.

'Dwn im. Mae hi'n braf yma, dim pwysau bywyd. Mae pethau'n dipyn anoddach ar y Ddaear,' meddai.

'Ond i Bongo, efallai?'

'O, mae hwnnw mewn trafferth ble bynnag mae o'n mynd. Ond mae hi'n dipyn o demtasiwn iddo fo a Myll. Mae'r caethferched yma'n bethau del iawn i ni ddynion y Ddaear.'

'Beth yw'r gorau gen ti, Jê-Pî? Fi ynteu caethferch?'

Dweud celwydd wnaeth JP, wrth gwrs. 'Chdi. Does dim cymhariaeth.'

Closiodd Ijiffani ato. 'Sut mae gwryw a benyw yn ymddwyn ar y Ddaear pan maen nhw mewn sefyllfa fel hyn?'

'Ym . . . mae'n dibynnu. On'd dwyt ti'n wraig i Niblo?'

'Ydw. Ond nid pob dydd mae rhywun o'r Ddaear yn dod yma. Dwi'n siŵr y bydda fo'n deall.'

'Ond be tasa fo ddim? Be tasa fo'n gyrru'r bolocs ar fy ôl i?'

'Mi wna i ofalu na wnaiff hynny ddigwydd,' meddai a chlosio tuag ato, gan roi ei llaw yn ei law o.

I ddweud y gwir, doedd JP yn ffansïo dim ar Ijiffani. Doedd o ddim yn ffansïo cusanu ei hwyneb bwldog, a chan fod Myll wedi dweud nad oedd dim gwerth sôn amdano o dan ddilladau'r Nocsus, roedd mewn cyfyng-gyngor. Beth pe byddai'n ei gwrthod? Fyddai hynny'n ddigon i yrru'r bolocs ar ei warthaf?

'Mae hwn yn le hyfryd, yn tydi?' meddai llais o'r tu ôl i'r ddau.

Cododd JP ar ei draed. 'H . . . h . . . hyfryd iawn, Niblo. Roedd . . . roedd Ijiffani'n sôn am y bloda ac ati . . . '

Tra oedd Ijiffani'n sôn am y blodau, roedd Taitas eisiau gwybod mwy am yr adar a'r gwenyn. Doedd Myll erioed wedi gorfod egluro pethau fel hyn o'r blaen, dim ond gwneud. Ond allai o ddim gwneud efo Taitas oherwydd doedd y gêr ddim ganddi. Newidiodd y pwnc.

'Esu, ma' sychad uffernol arna i,' meddai – ac mi roedd hefyd, wedi'r holl siarad.

'Tyrd i fy iglw i,' meddai Taitas gan ddal ei llaw allan. 'Mae gennyf i ddigon o ddiod a ffrwythau yno.' Dilynodd Myll hi.

Doedd yna fawr yn wahanol yn iglw Taitas i'r un oedd gan y Daearwyr heblaw bod yno rywfaint o flodau llachar, amryliw mewn potiau plastig yma ac acw. Yng nghornel un stafell roedd pentwr o ffrwythau o bob lliw a llun.

'Mi rydw i wedi anghofio taflu rhai o'r ffrwythau yna,' meddai. 'Mae rhai ohonyn nhw'n dechrau mynd yn ddrwg.'

Synhwyrai Myll yr awyr. Roedd yna arogl tebyg i'r hyn fyddai yn nhŷ Nain Llanrug pan fyddai'n gwneud gwin riwbob. 'Paid â'u taflu nhw,' meddai. 'Mi ddangosa i dric arall i ti, ond mi gymrith hwn dipyn hirach. Sgen ti fwced?'

Edrychodd Taitas yn syn arno, ond gwelodd Myll bot mawr pridd yn y gornel. Estynnodd ato a rhoi'r ffrwythau aeddfed ynddo. 'Sgen ti ddŵr yma? A chadach?' Tywalltodd y dŵr nes oedd wedi gorchuddio'r ffrwythau ac yna taenodd y cadach dros geg y pot pridd. 'Mae isio gadal hwn rŵan am ryw . . . dwi'm yn siŵr faint. Mi ddo i yma i'w brofi fo bob hyn a hyn.' Doedd Myll ddim wedi gweld cwpwrdd tanc yn unlle, na redietyr, felly symudodd y pot at y ffenest er mwyn iddo gael gwres yr haul. 'Gei di weld, mi fydd o'n uffar o stwff da.'

* * *

Gan fod dynion yn brin yng ngwersyll y caethferched, câi Bongo sylw mawr. Fuon nhw fawr o dro'n tynnu amdano a rhedeg eu dwylo dros ei gorff. Ar y dechrau, doedd fawr o ots gan Jiwli. Onid oedd hi'n cael ei llongyfarch am ddod ag o iddyn nhw? Ond, o dipyn i beth, o weld Bongo'n mwynhau'r holl sylw a'r mwytho, dechreuodd genfigennu. 'Bongo, wyt ti isio dod am dro o gwmpas y gwersyll?' gofynnodd gan estyn ei llaw iddo.

Ond doedd Bongo ddim eisiau mynd gan fod un o'r caethferched yn gorwedd arno ar y pryd. Gwthiodd Jiwli hi i ffwrdd. 'Tyrd, Bongo,' a chafodd ei lusgo i'w draed. Cydiodd Jiwli yn ei law a'i dywys o gwmpas y cytiau gwellt.

'Hei!' gwaeddodd llais o un o ddrysau'r cytiau. Cedoro oedd yno. 'Ffansi 'chydig o hela, Bongo? Mae bwyd yn dechrau mynd yn brin yma.'

Chafodd o ddim cyfle i ateb gan fod Cedoro wedi gwthio picell i'w law. 'Tyrd, Jiwli, mi awn ni â Bongo i'r coed sêr i ddal bolocs.'

Bu raid dringo'r ysgol unwaith eto, y tro yma allan o'r chwarel. Jiwli aeth gyntaf, yna Cedoro a bu raid i Bongo syllu ar ei dwll din yr holl ffordd i fyny gan na fentrai edrych i lawr i'r twll oddi tano. Wedi cyrraedd pen yr ysgol, aeth Cedoro ar ei fol ar lawr a rhoi ei glust ar y ddaear. Yna cododd ar ei draed a dechrau synhwyro'r awyr. 'Ffor'cw,' meddai gan gyfeirio'i law tuag at yr haul. 'Mae 'na faedd bolocs ryw hanner milltir i ffwrdd.'

Ond roedd yna goed pigog rhwng y chwarel a'r bolocs, a gwthiai drain i groen noeth Bongo. Roedd Jiwli a Cedoro wedi hen arfer, a'u crwyn, mae'n siŵr, wedi caledu. 'Shhhh . . . Nei di fod yn ddistaw!' harthiodd Cedoro arno wrth i Bongo deimlo llafnau'r dail. 'Mae gan y bolocs glustiau fel swyngi.' Doedd gan Bongo ddim y syniad lleiaf beth oedd swyngi, ond cymerai fod ganddo'r gallu i glywed o hirbell. O fewn dim roedd Bongo'n ymdebygu i rasberi ripl gyda chripiadau coch ar hyd ei gorff, ond gan fod y ddau arall yn mynd o'i flaen chafodd o ddim cydymdeimlad.

Yna, arhosodd Cedoro yn ei unfan gan godi ei law dde. Trodd at Jiwli, a gwneud arwyddion ar iddi fynd allan o'r coed. Safodd Bongo y tu ôl i Cedoro tra camodd Jiwli'n araf tuag at le gwastad ar gyrion y coed pigog. Eisteddodd ar ddarn o graig a dechrau canu a chribo'i gwallt.

Trodd Cedoro at Bongo ac meddai dan ei wynt, 'Cer di i'r ochor yna, ac mi a' i ffor'ma. Pan weli di'r bolocs yn dod i'r golwg, rhuthra amdano a gwthia'r bicell i'w wddw. Nid i'w fol, neu mi fyddi wedi difetha cig da.'

Ufuddhaodd Bongo a sleifiodd yn ofalus drwy'r coed pigog. Methai â chanolbwyntio ar chwilio am y bolocs gan fod Jiwli erbyn hyn yn bras-orwedd ar y graig gan wthio'i bronnau at yr haul a'i gwallt melyn yn disgyn fel rhaeadr y tu ôl iddi. Yn sydyn, clywodd sŵn i'r dde iddo. Bolocs, myn uffar i! meddai dan ei wynt. O gornel ei lygad gwelodd Cedoro a'i bicell yn ei law yn paratoi i ruthro at y creadur. Gwnaeth yntau yr un modd.

'Rŵan!' gwaeddodd Cedoro a rhuthrodd allan o'r goedwig tuag at y bolocs. Ond cyn iddo fynd rhagor na dwylath baglodd dros garreg a disgynnodd yn chwap ar ei fol a'i bicell yn plannu i'r ddaear.

Roedd y bolocs erbyn hyn yn rhuthro tuag at Jiwli, ond doedd hi ddim wedi sylweddoli'r peryg gan ei bod â'i llygaid yn yr haul. 'Jiwli!' gwaeddodd Bongo wrth ruthro at y creadur. Doedd ymladd â phicell ddim yn beth anghyfarwydd i Bongo. Picelli rhedyn fyddai'r rheiny ar lethrau Twtil, ac yntau'n eu plannu i'w gyfeillion wrth chwarae Indiaid neu rai o lwythau Affrica. Ond roedd hynny flynyddoedd yn ôl.

Cododd Jiwli ei phen a gwelodd folocs gorffwyll yn rhuthro amdani. Agorodd ei cheg i sgrechian ond ni ddaeth yr un sŵn allan. Roedd y bolocs o fewn troedfedd iddi pan stopiodd yn stond, synhwyrodd yr awyr a chlywed arogl anghyffredin. Bongo! Trodd yn ei unfan i wynebu'r Daearwr. Rhoddodd sgrech, plannodd ei draed ôl yn y ddaear a hyrddio'i hun at y

Daearwr. Daeth sgiliau'r cae rygbi yn ôl i Bongo; trodd mewn cylch ar ei droed chwith a'i g'luo hi am y goeden agosaf. Doedd hi fawr o goeden, ond wrth iddo ei dringo roedd ei din gryn dair modfedd yn uwch na dannedd miniog y bolocs.

Yn sydyn, clywyd sŵn fel picell yn chwyrlïo drwy'r awyr, a dyna'n union oedd hi. Plannodd y bicell yng ngwddw'r bolocs. Rhoddodd un sgrech a disgynnodd yn farw wrth droed y goeden. Daeth Bongo i lawr yn araf bach, ac i freichiau Jiwli.

'Wyt ti'n iawn, Bongo?' gofynnodd yn dyner. Edrychodd ar ei gorff. 'Mi rwyt ti'n gripiadau i gyd ar ôl dringo drwy ddail y coed sêr.' Edrychodd Bongo ar ei groen. Oedd, mi roedd. Ac roedd yna sgriffiadau lu ar ei goc. Roedd hi'n dechrau llosgi erbyn hyn, a gwyddai Bongo na fyddai'n dda i ddim i Jiwli na'r merched prydferth eraill am ddyddiau lawer.

Tra bu Bongo a'i gwd mewn bandej, bu Myll yn cael sylw Taitas. Roedd halio'r Nocsan yn help mawr i fynd â'i feddwl oddi ar y caethferched, ac roedd rhybuddion parhaus JP byth a beunydd yn ei glustiau na allai'r un ohonyn nhw fforddio camymddwyn eto yn golygu na wnâi o ddim ond gwenu arnyn nhw.

Roedd llaw Taitas i lawr ei drwsus melyn un pnawn pan gerddodd Ijiffani a JP heibio. 'Beth wyt ti'n wneud, Taitas?' gofynnodd y Nocsan.

'Chwarae efo c . . . '

Ond torrodd JP ar ei thraws. 'Myll, nei di stopio'r hogan! 'Dydy pawb yn sbio arnat ti!' Ac yn wir mi roedd yna nifer o Nocsus wedi stopio gerllaw ac yn gwylio'r ddau.

'Ond JP, mae hi wrth ei bodd. 'Di hi ddim 'di gweld coc o'r blaen.'

'Wel, cer â hi i rywle o'r golwg 'ta.'

Roedd dwy Nocsan wedi dod yn nes i geisio gweld beth oedd Taitas yn ei wneud, ond doedd hi ddim am rannu ei chyfrinach â hwy. 'Tyrd, Myll. Mi awn ni i fy iglw i i gael llonydd.'

Tynnodd ei llaw o'r trwsus a'i rhoi am law Myll a'i dywys

tuag at ei higlw. Tynnodd Taitas ei gŵn borffor eiliadau wedi cyrraedd yr iglw, ond nid dyna aeth â sylw Myll. Synhwyrodd yr awyr. Roedd arogl cyfarwydd yno. Alcohol! Brysiodd at y pot pridd ger y ffenest a thynnodd y cadach oedd wedi'i roi drosto. Roedd yr hylif yn ffrwtian yn braf ac arogl bendigedig yn codi i ffroenau Myll.

'Taitas, ty'd yma! Brysia!'

'Wyt ti ddim am dynnu amdanat, Myll?'

'Na, na, tria hwn!' meddai, gan estyn ei fys iddi oedd newydd gael ei wthio i'r hylif yn y pot.

'Ych!' meddai Taitas gan boeri'r hylif o'i cheg. 'Mae blas ofnadwy arno!'

'Estyn gwpan i ni gael trio peth go iawn,' meddai Myll wedi cyffroi'n lân.

Dychwelodd Taitas â dau gwpan. Llanwodd Myll nhw ac estynnodd un i Taitas. 'Yfa fo'n ara deg. Mi ddoi di i'w licio fo 'sti,' meddai cyn gwagio'i gwpan mewn un.

Fesul tipyn roedd Taitas yn cymryd yr hylif ac wedi cael peth ohono aeth ei bochau'n dywyllach. 'Dydw i'n dal ddim yn ei hoffi,' meddai, 'ond mae o'n gwneud i mi deimlo'n hapus.'

'Cymra 'chydig bach mwy,' meddai Myll wrth ail-lenwi ei gwpan. Am bob cegaid a gâi Taitas, câi Myll gwpaned, ac o fewn dim roedd y pot pridd yn wag. Roedd lleferydd Taitas wedi dirywio hefyd a châi Myll a'r peiriant cyfieithu gryn drafferth i ddeall beth roedd hi'n ddweud.

'Tyd 'llan,' meddai gan gydio yn ei law a sgipio allan o'r iglw heb gerpyn amdani. Roedd Niblo a'i swyddogion yn mynd heibio ar y pryd a phan welodd Taitas yn noeth, arhosodd. 'Taitas! Ble mae'ch gwisg chi?'

'D . . . dwi . . . m . . . ' meddai gan chwerthin yn afreolus.

Torrodd Myll ar ei thraws. ''Da ni wedi cael lysh; wedi cael sesh. Tisio peth?' gofynnodd gan wthio'i gwpan wag i gyfeiriad Niblo.

Trawyd y gwpan o'i law. 'Ewch â nhw i'r llys!' gorchmynnodd i'r ddau swyddog agosaf ato.

Trodd Taitas at y mwyaf ohonyn nhw: Nocsun mewn gwisg las golau a smotiau o aur arni. 'Dwi'm yn . . . dwi'm yn . . . ' Na, doedd Taitas ddim yn teimlo'n rhy dda, ac wrth i'r swyddog roi ei fraich amdani i'w llusgo i'r llys, trodd ato gan agor ei cheg a gollwng ffrwd o chŵd amryliw allan gan liwio gwisg y Nocsun mawr mewn lliwiau'r enfys. Doedd dim o'r fath wedi digwydd ar Delta Equinox erioed o'r blaen . . .

8

Doedd Niblo erioed wedi gweld neb o'r blaen yn chwildrins er iddo glywed am rai o'r caethferched yn meddwi yn y mynyddoedd. Ac yn sicr, doedd neb erioed wedi chwydu ar ben un o'i swyddogion. Llusgwyd Taitas i iglw'r pennaeth a chynulliwyd llys barn ar fyrder. Mynnodd Niblo ei bod yn sefyll o'i flaen, ond allai hi ddim. Roedd hi'n llithro i'r llawr fel cadach. Doedd Myll chwaith ddim yn berffaith sobor. Roedd wedi hen arfer ag alcohol ar y Ddaear ond, ar ôl bod am beth amser hebddo, roedd alcohol ffrwythau'r Nocsus wedi mynd i'w ben.

'Myll, beth wnaeth i Taitas fynd i'r fath gyflwr?' gofynnodd Niblo'n sarrug.

'Ym . . . mi wnes i 'chydig o lysh efo ffrwytha a ballu . . . fel oedd Nain yn wneud erstalwm. Mae'n rhaid bod gynnoch chi uffar o ffrwytha da yma, cos oedd Nain yn cymryd tri mis i wneud gwin riwbob. Ond mi roedd hwn yn uffar o stwff ar ôl tri diwrnod!'

'Felly, mi droesoch chi'r ffrwythau yn . . . yn ddiod i'ch gwneud yn afreolus?'

Nodiodd Myll.

'Cliriwch y llys!' gwaeddodd Niblo, a gwagiwyd y neuadd fawr yn yr iglw. Daeth Niblo i lawr o'i orsedd a cherdded at Myll. 'Sut wnaethoch chi'r ddiod?'

'Dim ond rhoi dŵr ar ben y ffrwytha mewn pot pridd. Roedd Nain yn rhoi siwgwr hefyd, ond doedd gan Taitas ddim. Lwcus ella, neu mi fysa hi'n gonnar. Mae o'n uffar o stwff!'

Camodd Niblo'n nes ato ac edrych i fyw ei lygaid. 'Ydych

chi'n sylweddoli beth rydych chi wedi'i wneud?'

Doedd Myll ddim.

'Mi ellwch chi ddod â'n diwylliant ni, ein bywyd ni ar y blaned hon i ben.'

Edrychodd Myll yn syn arno.

'Pe byddai'r Nocsus yn gael gwybod sut i wneud y ddiod felltith yna . . . mi fyddai ar ben arnon ni. Mi fyddai pawb yn chwil ac yn chwydu ar ben ei gilydd.'

'Ond . . . ond maen nhw'n yfad lot ohono fo yng Nghnarfon. Mae 'na lot yn chwil ac yn chwydu ac yn cwffio . . . ond dydy hi ddim ar ben arnon ni. Mae'r rhan fwya yn 'u gwaith fore Llun . . . efo pen mawr ella.'

Ond doedd Niblo ddim am wrando arno. Gwelai dranc ei hil yn nesáu. Gwelai'r Nocsus yn gorwedd yn ddiymadferth yn eu llanast a'r caethbobol yn adfeddiannu eu planed.

'Dim gair am hyn wrth neb, cofiwch. Dydw i ddim eisiau i'r Nocsus wybod sut i wneud y ddiod felltigedig yna. Os daw rhywun i wybod, yna mi fyddwch chi a'ch cyfeillion a Taitas yn cael eich taflu i'r Twll Du. Welwch chi byth mo'r Ddaear eto.'

'Ond . . . ond mae'n rhaid i mi gael lysh. O'n i'n cael peth bob dydd adra.'

'Beth am y cyfnod ar y llong ofod? Doedd bosib bod digon o le i gario cyflenwad o'r ddiod ar honno?'

'O, na. Roedd gynnon ni fashîn oedd yn troi piso yn lagyr yno. Ond dydy hynny ddim yn job fawr.'

'Mi gaf fy nynion i nôl y peiriant a'i osod yn eich iglw . . . '

'Diolch, Niblo. Blydi grêt!'

'Ond mae dau amod . . . Un – dydych chi ddim i roi peth o'r . . . lagyr . . . yna i'r un o'r Nocsus, gan gynnwys . . . yn arbennig Taitas.'

'Iawn.'

'Ac mi rydych chi'n mynd i'n helpu ni i ddal Bongo.'

'Ond . . . '

'Dal Bongo . . . neu dim lagyr.'

Cymerodd Myll ddau eiliad i feddwl dros y cynnig. 'Iawn,

Niblo. Ocê, be tisio fi neud?'

Curodd Niblo ei ddwylo a daeth ei ben-gwarchodwr i'r golwg. 'Popeth wedi'i drefnu, Asol,' meddai wrth y mawr. 'Mae Myll yn mynd i fyny i'r bryniau i chwilio am ei gyfaill. Mi rydw i eisiau i ti a dy ddynion a'r bolocs ei ddilyn o hirbell. Ac yna pan ddaw Bongo i'r golwg . . . '

'Iawn, feistr,' meddai Asol â gwên lydan, wel mor lydan ag y gallai gwên fod ar wyneb bwldog.

'Reit, i ffwrdd â chi,' meddai Niblo a throdd Myll ar ei sawdl ac allan drwy'r drws. Roedd cerbyd brown, hir y tu allan ac ynddo Nocsus blin yr olwg a thri bolocs milain yn mewian mewn cawell yn y cefn. Eisteddodd Myll yn y blaen efo Asol. Gwibiodd y cerbyd rhwng yr iglws ac allan o'r dref gan anelu am y bryniau porffor. Wedi awr o deithio, daeth i stop ger coedwig fechan o goed glas.

'Allan!' gorchmynnodd Asol. 'Mi rydyn ni'n credu mai rhywle yn y fan acw mae dy gyfaill,' meddai gan gyfeirio at y bryn uchaf un. 'Mi arhoswn ni yma o'r golwg. Cer di y ffordd acw a gweiddi enw dy gyfaill bob hyn a hyn. Pan welwn ni o, mi ruthrwn allan o'r guddfan a'i ddal. Iawn?'

Nodiodd Myll, a chychwynnodd gerdded. Roedd syched uffernol arno wedi yfed y ddiod ffrwythau ac roedd yr haul tanbaid, coch yn gwaethygu ei sefyllfa. Câi gryn drafferth i weiddi enw Bongo, ond doedd ganddo fawr o ddewis. Ar waelod y bryn agosaf, daeth ar draws pwll o ddŵr piws. Aeth ar ei liniau cyn rhoi ei ddwylo yn y dŵr a drachtio'n helaeth o'r hylif oer. Dyna welliant, meddai wrtho'i hun, cyn ailddechrau ar ei daith i ddal Bongo.

'Bongo! Bongo!' gwaeddodd. 'Myll sy 'ma! Sut wyt ti? Isio gair bach efo chdi!' Ond doedd dim sôn am Bongo, dim ond ambell greadur ehedog yn hedfan mewn braw o glwmp o dyfiant wrth glywed y llais dieithr.

Ond mi roedd Bongo wedi'i glywed. 'Myll, myn uffar i! Wedi cael llond bol ar y Nocsus, mae'n siŵr. Tyrd Jiwli, awn ni ato fo.'

Ond doedd Jiwli ddim mor siŵr. 'Aros!' meddai. 'Gwell i ni wneud yn siŵr ei fod ar ben ei hun.' Cododd ei llaw at ei llygaid i'w gwarchod rhag yr haul coch a chwiliodd y coed a'r bryniau am arwyddion o fywyd. Doedd dim i'w weld. 'Cer di i'w gyfeiriad o . . . yn araf. Mi wna i gadw golwg o'r fan yma.'

Symudodd Bongo yn araf rhwng y perthi pinc nes oedd Myll rhyw dri chanllath oddi wrtho. 'Myll!' gwaeddodd rhwng ei ddannedd. 'Be tisio?'

'Chdi!' atebodd Myll. 'Ym . . . isio gair efo chdi.'

'Gair am be?'

Ond chafodd Myll ddim cyfle i ateb. Clywodd Bongo'r gaethferch yn gweiddi o'r tu ôl iddo. 'Tyrd! Brysia! Trap ydy hyn i gyd! Mae'r Nocsus a'r bolocs yn cuddio yn y coed acw! Brysia'n ôl.'

'Basdad!' gwaeddodd Bongo. 'Basdad uffar!' a thaflodd garreg felen i gyfeiriad ei gyfaill cyn troi a dilyn Jiwli i fyny i'r bryniau.

Cydiodd Jiwli yn ei law a'i dynnu i fyny'r llethr. Brasgamodd Bongo drwy'r brwgaets, ond clywai fewian y bolocs yn agosáu. 'Pa mor bell maen nhw, Jiwli?' gofynnodd yn bryderus.

'Maen nhw'n reit bell, ond maen nhw'n gallu carlamu'n gyflym.' Roedd Bongo wedi colli'i wynt yn lân erbyn cyrraedd ceg y chwarel. Roedd Cedoro'n eu disgwyl. 'Beth sydd wedi digwydd? Pam fod y bolocs ar y ffordd yma?' gofynnodd.

Eglurodd Jiwli am y twyll. 'Basdad!' meddai Cedoro.

'Dyna ddudis inna, hefyd,' meddai Bongo. 'Ges i'm tshans i'w alw fo'n ffycar.'

Cychwynnodd y ddau i lawr yr ysgol. 'Dydy hi ddim yn ddiogel i fynd i lawr i'r chwarel,' meddai Cedoro. 'Mi fydd y bolocs wedi dilyn eich trywydd yma. Cerwch chi i'r gorllewin a thrwy'r afon ddu i'w taflu oddi ar eich trywydd. Mi af innau i symud pawb o'r chwarel cyn i'r bolocs gyrraedd.'

Unwaith eto cydiodd Jiwli yn ei law a'i dywys heibio ceg y chwarel ac i lawr y bryn tuag at yr afon ddu. Fel y dynesai'r ddau daeth arogl fel sanau heb eu newid ers wythnosau i'w ffroenau. 'Be ddiawl ydy'r ogla yna?' gofynnodd.

'Yr afon ddu,' atebodd Jiwli. 'Dydy'r bolocs ddim yn hoffi'r afon ddu.'

'Dwi'n dallt pam,' meddai Bongo wrth dynnu llond ysgyfaint o wynt drwg.

'Mi allwn ni fynd drwy'r afon ddu a wnân nhw mo'n dilyn ni. Ac mae'n siŵr y bydd gweddill trigolion y chwarel yn gwneud yr un modd.'

Âi'r arogl yn waeth ac yn waeth fel y dynesai'r ddau at yr afon. Roedd yn atgoffa Bongo o'r cyfnod y bu'n rhannu fflat â Myll yng Nghaerdydd pan fu'r ddau'n gweithio yn y brifddinas ar Stadiwm y Mileniwm.

Bu raid i Bongo wasgu'i drwyn yn dynn erbyn iddo gyrraedd yr afon. Roedd Jiwli'n gwneud yr un modd. 'Tyrd, drwy'r dŵr,' meddai â'i llais fel robot.

O fewn dim roedd blaen ei gwd yn cyrraedd y dŵr du. Roedd hi wedi bod mewn llawer lle budur o'r blaen ond erioed mewn lle mor ddrewllyd â hwn. Cododd y dŵr yn raddol at ei ganol, a dechreuodd Bongo dagu. Allai Jiwli wneud dim i'w helpu gan ei bod yn cael cryn drafferth ei hun i groesi drwy'r dŵr anghynnes. O'r diwedd, cyrhaeddodd y ddau y lan gan ddisgyn yn ddiymadferth ar y gwellt llwyd. Clywai'r ddau y bolocs yn mewian yn y pellter. 'Dydyn nhw ddim yn bell iawn rŵan,' meddai Jiwli. 'Gobeithio fod pawb wedi llwyddo i ddianc.'

Roedd Myll wedi dilyn Asol a'i ddynion a'r bolocs ar drywydd ei gyfaill. Nadreddai'r bolocs rhwng y perthi piws gan dynnu dynion Asol ar eu holau. Arhosent bob hyn a hyn i arogli'r awyr cyn plannu eu traed fforchiog yn y pridd ac ailddechrau rhedeg. O fewn dim roedden nhw wrth geg y chwarel.

Edrychodd Asol i lawr i'r dyfnderoedd. 'Fan yna mae'r caethbobol yn byw! Ond does dim amser i fynd yna rŵan. Mae pawb wedi ffoi. Dilynwch y bolocs!' Prysurodd y fintai tuag at yr afon ddu ac wrth i'r bolocs arogli'r awyr drwg arafai eu camau. 'Dos!' meddai Asol gan roi cic i'r bolocs agosaf yn ei din. 'Ar eu holau nhw!' Ond arafu a wnâi'r bolocs. Doedden nhw ddim am fynd yn rhy agos at y dŵr du. Wedi cicio a chicio cafwyd y pedwar creadur at yr afon ddu, ond dim pellach.

Roedd Jiwli a Bongo yn eistedd ar fryn yn edrych i lawr ar yr afon a gwelsant y fintai'n nesáu. Gwelsant Myll yn cydio yn ei drwyn ac yn edrych i'w cyfeiriad. Cododd Bongo ar ei draed. 'Myll! Cont! Basdad!' gwaeddodd gan neidio i fyny ac i lawr a dangos ei din iddo. Cododd ddau fys – ar bob llaw – i'w gyfeiriad. 'Mi ga i chdi eto'r basdad!' gwaeddodd cyn i Jiwli gydio yn ei law a'i dynnu o'r golwg.

*   *   *

'Pwy sydd bia'r dref yma?' gofynnodd JP i Ijiffani un bore. Edrychodd yn syn arno. 'Ydach chi'n gallu prynu'r iglws yma?' Doedd hynny chwaith ddim yn gwneud synnwyr i Ijiffani. Triodd eto. 'Sut ydach chi'n cael iglw bob un?'

'Mae Niblo'n rhoi un i ni ar ôl i ni dyfu i fyny.'

'Felly, Niblo sydd bia nhw i gyd?'

'Na, bia pawb ei iglw ei hun.'

'Beth am y bwyd? Y ffrwytha a'r llysia. Sut ydach chi'n talu am y rheiny?'

'Talu? Rydyn ni'n eu cael nhw.'

'Ond . . . ond pwy sy'n eu tyfu nhw? Pwy sy'n dod â nhw i chi?'

'Y caethferched. Nhw, hefyd, sydd yn adeiladu'r iglws.'

'Felly, rydach chi'n cael pob dim am ddim,' meddai JP â siom yn ei lais gan ei bod yn edrych yn debyg nad oedd yna gyfle i wneud ceiniog ar Delta Equinox. 'Ydach chi'n gallu prynu caethferch?'

'Na, maen nhw'n eiddo i ni i gyd. Mae Niblo'n penderfynu pa un sy'n gwasanaethu pwy.'

Crafodd JP ei ben. Rhaid i mi gael gair â Niblo, meddyliodd.

Gadawodd Ijiffani yn eistedd ar y fainc yn gwylio'r blodau amryliw yn ei gardd ac aeth i chwilio am Niblo. Roedd y pennaeth yn eistedd ger bwrdd o blastig melyn a phentwr o bapurau o'i flaen. 'Sgynnoch chi ddim compiwtyr?' gofynnodd JP.

'Na. Mi wnaethon ni gael gwared â'r rheiny ganrifoedd yn ôl. Roedden nhw'n fwy o drafferth na'u gwerth. Papur a phensel bob tro rŵan.'

'Talu bilia ydach chi?'

'Bilia? Na, mae popeth am ddim ar Delta Equinox.'

Nesaodd JP ato. 'Ydach chi ddim yn teimlo weithia . . . eich bod chi'n gwneud cymaint i'r Nocsus . . . ac yn cael dim yn ôl?'

Cododd Niblo ei ben o'i bapurau. 'Ond mae hyn i gyd gen i,' ac edrychodd allan drwy'r ffenest ar yr iglws amryliw a'r bryniau porffor yn y pellter.

'Ond . . . mi ddylen nhw dalu i chi . . . am eich gwasanaeth . . . Am edrych ar 'u hola nhw.'

'Talu?'

'Ia, rhoi petha i chi.'

'Ond mae gen i bopeth rydw i ei eisiau. Bwyd, diod, to uwch fy mhen, dillad . . . '

Crafodd JP ei ben. 'Be am sborts-car 'ta . . . car cyflym?'

'Ond mae gen i gerbyd . . . y cerbyd pinc ddaeth â chi yma.'

'Ia, ond be am gar pinc i chi'ch hun. Dim ond y chi . . . car fedar fynd ar uffar o sbîd rownd corneli . . . ' Mi roedd am ychwanegu y byddai car felly yn denu merched, hefyd, ond doedd hynny ddim yn berthnasol i Niblo.

Crafodd y pennaeth ei ên. 'Car cyflym . . . i mi fy hun? Ie. Lle câi un felly?'

'Lle cawsoch chi'r moto pinc?'

'Mae gan y caethferched ffatri y tu allan i'r dref. Yn y fan honno maen nhw'n gwneud cerbydau i ni.'

'Mi drefna i i chi gael un,' ac allan â JP gan rwbio'i ddwylo.

Roedd Ijiffani yn dal i syllu ar y blodau amryliw. 'Deud mi,' meddai JP, 'lle mae'r ffatri gerbyda ar gyrion y dre 'ma?'

'Mi awn ni am dro yno,' meddai Ijiffani gan gydio yn ei law a rhoi ei gên ar ei ysgwydd. Cerddodd y ddau i lawr y llwybr drwy'r ardd ac allan rhyw ganllath oddi wrth iglw Niblo. Cafodd Ijiffani hyd i lwybr arall oedd yn nadreddu rhwng coedwig o goed pîn pinc. Tarai'r haul coch ei olau drwy'r dail bob hyn a hyn gan wneud patrymau lliw enfys ar ddillad y ddau. 'Beth fyset ti'n wneud pe baet ti'n cerdded drwy le fel hyn efo benyw . . . ddeniadol ar y Ddaear?' gofynnodd Ijiffani.

Roedd meddwl JP ar sborts-car pinc ar y pryd. 'Ym . . . ' 'Doedd hi bron yn hanner canrif ers iddo gerdded law yn llaw â merch drwy Goed Helen. Doedd yna ond un peth ar ei feddwl y pryd hynny, a doedd dim pwynt dweud wrth Ijiffani gan na fysa hi'n dallt. Doedd o ddim wedi cael cyfle i gerdded law yn llaw drwy goedwigoedd efo Dee-dee a'i thebyg. Genod y gwely oedd y rheiny, nid genod mynd am dro. Yr unig lwybrau roedd gan y rheiny brofiad ohonyn nhw oedd y rhai cul yr oedden nhw wedi methu cadw atyn nhw. 'Ym . . . mi fyswn i'n gofyn iddi ganu i mi,' oedd y peth cyntaf a ddaeth i'w feddwl.

'Eistedd yn y fan yna,' meddai Ijiffani gan gyfeirio at fonyn coeden. Eisteddodd JP tra safodd Ijiffani fel procar o'i flaen. Agorodd ei cheg a daeth y sŵn mwyaf annaearol allan. Roedd fel pe byddai cath yn cael ei gwasgu drwy fangyl. Rhuthrodd mân greaduriaid o'r brwgaets mewn ofn ac edrychodd JP o'i gwmpas rhag ofn bod rhywun o gwmpas i'w gweld. O'r diwedd daeth yr udo a'r nadu i ben, a churodd JP ei ddwylo mewn 'gwerthfawrogiad'.

'Ia . . . da iawn, Ijiffani, da iawn. Fyddi di'n canu'n amal?'

'Nid yn amal iawn,' atebodd a diolchodd JP am hynny. Cododd ar ei draed a chychwynnodd y ddau ar hyd weddill y llwybr gydag Ijiffani'n gafael yn dynn yn ei law unwaith eto. 'Beth sy'n digwydd ar ôl i'r fenyw ganu?' gofynnodd gan wasgu ei law.

Doedd gan JP ddim syniad beth i'w ddweud; beth uffar oedd unrhyw un yn ei wneud ar ôl clywed sŵn mor uffernol? Ei saethu hi? Ond roedd Ijiffani wedi gollwng ei law tra oedd

81

o'n meddwl ac wedi sefyll wrth ochr y llwybr. Edrychodd JP yn ei ôl. Roedd Ijiffani'n codi ei gŵn dros ei phen ac o fewn eiliadau roedd y dilledyn gwyrdd yn gorwedd yn swp ar y gwair melyn. 'Rarglwydd!' meddai. 'Be ti'n neud?'

'Mi wnaeth Taitas dynnu amdani o flaen Myll,' atebodd wrth i JP archwilio'i chorff. Oedd, roedd Myll yn iawn, doedd yna ddim byd gwerth sôn amdano yna. Dim ond croen llyfn heb na bryn na phant. Cerddodd Ijiffani ato a phlymiodd ei llaw i lawr blaen ei drwsus coch. 'Ww!' ebychodd, 'ond dydy hi ddim yn galed fel un Myll.'

'Rhwbia dipyn 'ta,' meddai JP gan edrych i fyny ac i lawr y llwybr ond doedd heidrolics ei dwlsyn ddim mor effeithiol â rhai Myll.

'Mae fy llaw wedi blino,' meddai Ijiffani wedi peth amser, 'a dydy hi'n dal ddim yn galed iawn. Roedd JP erbyn hyn wedi cau ei lygaid a welodd o mo'r ddau Nocsun yn cerdded i fyny'r llwybr.

'Dydd da,' meddai'r ddau gan aros i weld beth oedd Ijiffani'n ei wneud. Gwelodd un fod chwys ar ei thalcen a golwg flinedig ar ei hwyneb a chynigiodd ei helpu.

Cyn i JP sylweddoli beth oedd yn digwydd, roedd llaw Nocsun gwryw yn cydio yn ei gledda a'r llall wedi halio'r trwsus coch i lawr i gael gweld beth oedd ei gyfaill yn ei wneud. 'Iesu, dyrwch gora iddi, myn uffar i!' meddai JP pan sylweddolodd beth oedd yn mynd ymlaen. 'Dim homo ydw i!' a haliodd ei drwsus yn ôl i fyny ag un llaw gan dynnu'r Nocsun oddi ar ei dwlsyn efo'r llall. 'Tyrd, Ijiffani, myn uffar i, cyn i neb arall ddod heibio,' a brasgamodd i lawr y llwybr ac allan o'r goedwig.

Roedd Ijiffani eisiau gwybod pam nad oedd o'n mwynhau'r halio fel roedd Myll, ond doedd JP ddim eisiau trafod y pwnc ac roedd yn gryn ryddhad iddo pan welodd adeilad mawr hirsgwar o'u blaenau. 'Hwnna ydy'r ffatri?' gofynnodd.

'Ie.' Ac o fewn dim roedd y ddau'n cerdded i fyny at ddrws yr adeilad. Tin noeth siapus caethferch oedd y peth cyntaf a welodd JP. Roedd hi â'i phen dan fonet rhyw gerbyd a chymerodd hi ond eiliadau i'r twlsyn gyrraedd ei lawn dwf, camp y methodd Ijiffani ei chyflawni wedi sawl munud.

Pesychodd JP a chododd pen prydferth i'w gyfeiriad. 'Isio gweld y bòs dwi,' meddai wrthi a chyfeiriodd ei braich at swyddfa fechan gan sychu olew du oddi ar ei bronnau. Roedd y gaethferch yn y swyddfa wedi gweld dyddiau gwell a byddai'n llawer rheitiach pe byddai'n rhoi rhywbeth amdani. 'Isio sborts-car ydan ni,' meddai wrthi.

Yn amlwg, doedd ganddi'r un syniad lleiaf am beth roedd JP yn sôn, a pheth arall oedd yn pery dryswch iddi oedd fod JP yn debycach i gaethddyn nag i Nocsun. 'Pwy wyt ti?' gofynnodd yn sarrug.

Roedd Ijiffani wedi deall y sefyllfa. 'Nid caethddyn yw Jê-Pî ond creadur o'r Ddaear. Mae o yma ar wyliau efo ni.'

Cododd yr hen gaethferch o'i chadair a phlygu ei phen. 'Mae'n ddrwg iawn gen i. Beth yw sborts-car i ni gael gwneud un i chi?'

Cydiodd JP mewn pensel a dechreuodd wneud llun car hir, main ar ddarn o bapur. 'Peth fel'na ydy sborts-car,' meddai, 'efo lle i un . . . gwna fo'n ddau . . . i ista, efo uffar o injan fawr ynddo iddo gael mynd fel diawl.'

Nodiodd yr hen gaethferch. 'Mi fydd yn barod wythnos nesaf.'

'Diolch,' meddai JP a throdd yntau ac Ijiffani ar eu sodlau a diflannu drwy'r drws.

'Does dim angen diolch i gaethferched, Jê-Pî,' meddai Ijiffani gan gydio yn ei law unwaith eto.

* * *

Doedd Asol ddim am adael y bryniau porffor yn waglaw. 'Mi awn ni i lawr i'r chwarel i gael gweld beth sydd yna,' meddai wrth ei ddynion, ac wedi clymu'r bolocs wrth fonion praff, dringodd y fintai i lawr ysgol i'r chwarel. Symudasant o un cwt gwellt i'r llall gan chwalu eiddo'r caethbobol ar hyd y lloriau. 'Does yna ddim byd o werth yma,' meddai, ond roedd Myll wedi sylwi ar botiau pridd yng nghornel y cwt mwyaf. Cododd un at ei drwyn.

'Mff . . . mff . . . lagyr myn uffar i!' A chododd y potyn i'w geg. Drachtiodd yr hylif melyn. 'Mae o'n dda, hefyd,' meddai cyn cymryd swig arall o'r ddiod.

Roedd Asol wedi dangos diddordeb yn y potiau erbyn hyn ac wedi cymryd cegaid. 'Mae hwn yn stwff drwg iawn,' meddai gan edrych mewn anghrediniaeth ar Myll yn gwagio'r potyn.

'Na, na, tria fo eto. Mae o'n uffar o stwff da,' a dyna wnaeth Asol a'i ddynion. Fuon nhw fawr o dro'n gwagio pob potyn ac erbyn hynny prin y gallai rhai sefyll ar eu traed.

'D . . . d . . . dowch,' meddai Asol â'i dafod yn dew. ''D . . . 'da ni'n mynd yn ôl i'r dref.' Ond mi roedd rhaid dringo'r ysgol allan o'r chwarel cyn hynny a chan mai Myll oedd y sobraf, fo aeth gyntaf gyda rhaff yn sownd wrth Asol a'i fintai rhag iddynt syrthio i'r twll dwfn. Cymerwyd deirgwaith yr amser i fynd i fyny nag a gymerwyd i fynd i lawr gan fod traed y Nocsus yn llithro ar bob gris. O'r diwedd, cyrhaeddwyd i ben yr ysgol a cherddodd pawb yn sigledig tuag at y cerbyd brown hir cyn pentyrru i mewn iddo. Taniodd Asol yr injan.

Edrychodd Myll allan drwy'r ffenest. 'Hei! 'Da chi wedi anghofio am y bolocs!' a stryffagliodd un o'r Nocsus allan i'w harwain i'r gawell. Yn ffodus, doedd dim ffordd yn arwain o'r bryniau porffor ac felly roedd digon o le i'r cerbyd brown nadreddu o un ochr i'r llall rhyngddyn nhw. Ond mi roedd hi'n fater arall pan gyrhaeddwyd y dref. Roedd rhaid ceisio osgoi taro'r iglws. Cael a chael oedd hi i Asol allu llywio rhwng yr adeiladau gyda Nocsus yn neidio o lwybr y cerbyd.

Roedd Niblo yn sefyll y tu allan i'w iglw yn barod am Bongo a Jiwli. Gwelai'r cerbyd brown yn nesáu a chamodd i'w gyfeiriad. Ond buan iawn y bu raid iddo gamu'n ôl gan nad oedd y cerbyd am stopio . . . nes iddo fynd â'i drwyn yn syth i mewn i'r iglw.

'Fy nghartref! Fy nghartref!' gwaeddodd gan weld twll mawr yn y plastig gwyrdd. Ar hynny, syrthiodd Asol allan. Gwelodd Niblo wyneb Myll yn ffenest y cerbyd. 'Chdi sydd ar fai am hyn!' gwaeddodd wrth i Myll suddo'n is yn ei sedd gan geisio diflannu o'r golwg.

9

Erbyn iddo ymddangos o flaen Niblo, roedd gan Asol blastar ar draws ei dalcen. Ond nid ar yr wyneb yn unig yr oedd y boen, ond oddi tano. Roedd ei ben yn curo fel petai cant o gaethferched yn curo morthwylion y tu mewn iddo. Roedd Myll yn eistedd mewn cadair yng nghefn yr ystafell, ei freichiau wedi'u clymu i'r breichiau a dau Nocsun mawr tew bob ochr iddo. Doedd Niblo ddim am iddo ddianc i'r bryniau fel Bongo.

Doedd dim rhaid i Niblo ofyn beth ddigwyddodd. Mi ddechreuodd Asol ar ei stori. Eglurodd sut y bu i Myll ddod o hyd i lagyr y caethbobol a sut y bu iddo'u gorfodi i'w yfed. Doedd dim rhaid iddo egluro rhagor. Onid oedd Myll wedi meddwi Taitas hefyd? Llusgwyd Myll o flaen Niblo. 'Does gen i ond un dewis,' meddai. 'Y Twll Du!' Aeth y stafell yn ddistaw. Nid mater bach oedd cael eich taflu i'r Twll Du ar Delta Equinox.

Roedd Myll wedi bod mewn sawl twll du. Onid oedd ei frawd Nigel wedi ei wthio i fuddai gorddi ei nain a'i adael yno nes i Nain fynd yno drannoeth i gorddi? Fu erioed well menyn meddai'i nain. Mae'n bosib mai'r ffaith iddo biso ynddi ddwywaith neu dair oedd i gyfri am hynny. Cydiodd Asol yn un o'i freichiau a Nocsun mawr yn y llall a'i arwain o iglw Niblo. Safai Taitas y tu allan wedi plygu ei phen a'i llygaid yn syllu i'r llawr. Ai teimlo cywilydd oedd hi, ynteu fel yna oedd y Noscus yn dangos eu bod yn ddigalon?

Ar gyrion y dref yr oedd y Twll Du. Clymwyd bolocs mawr mileinig wrth bolyn y tu allan, yn fwy rhag i'r dihiryn adael y twll nag i atal Nocsus chwilfrydig rhag dod i weld pwy oedd yno. Agorodd Asol ddrws y Twll Du, tynnwyd dillad Myll oddi amdano ac yna taflwyd o'n noeth i'r tywyllwch.

'Wel, mae hi wedi cachu arna i rŵan,' meddai'n uchel. 'Wela i byth mo Gnarfon eto. Cha i byth beint arall yn y clwb rygbi neu yn y Blac Boi. Cha i byth jymp eto. Tybed ga i fwyd ganddyn nhw? Tybed 'na i lwgu i farwolaeth yn y ffycin lle 'ma?'

Ijiffani ddywedodd wrth JP fod Myll wedi'i daflu i'r Twll Du. 'Myn uffar i!' meddai gan roi ei law ar ei dalcen. 'Does 'na mond y fi ar ôl!' Eisteddodd gan roi ei ben yn ei ddwylo, a daeth Ijiffani ato a phlygu o'i flaen.

'Wyt ti'n drist, Jê-Pî?'

'Wel ydw siŵr dduw! Mae'r unig ddau all hedfan y llong ofod yn ôl i'r Ddaear un ai mewn carchar neu ar ffo yn y bryniau. Mi fyddwn ni i gyd yma am byth!'

'Ydy hynny'n beth drwg?'

Doedd JP ddim eisiau brifo ei theimladau, ond doedd o ddim eisiau bod ar Delta Equinox am byth. Mae'n wir nad oedd yna gangsters na phlismyn ar ei ôl o yma, ond mi roedd hi'n eitha anniddorol yma . . . yn gwneud dim byd.

'Mi fysa'n neis cael mynd adra . . . ond mi fyswn i'n licio dod yn ôl bob hyn a hyn i'ch gweld chi i gyd.'

'I gyd?' gofynnodd gan glosio ato.

'Ia . . . a chdi'n arbennig . . . ' Cododd ac aeth allan i'r ardd. Roedd ganddo ormod ar ei feddwl i ganiatáu i Ijiffani ddechrau ei halio unwaith eto. Daeth hi ar ei ôl. Syllodd JP ar yr haul coch uwchben. 'Sut . . . sut alla i gael Niblo i ryddhau Myll o'r Twll Du a'i gael o i fadda i Bongo?' gofynnodd.

Meddyliodd Ijiffani'n galed. 'Mae'n anodd newid meddwl Niblo,' meddai.

'Mi rydw i wedi trefnu i gael sborts-car pinc iddo 'ndo? Efallai y gwnaiff o faddau i Bongo a Myll os geith o'r car?'

'Dydyn ni ddim yn meddwl fel yna. Fyddwn ni ddim yn rhoi pethau. Mae pob dim ar gael.'

'Ond dydy sborts-car pinc ddim ar gael . . . neu doedd o ddim, beth bynnag, nes i mi feddwl am y peth.'

'Na . . . '

'Pan a' i â'r car at Niblo, wyt ti'n meddwl y dyliwn i ofyn iddo adael Myll yn rhydd a gadael i Bongo ddod yn ôl?'

'Mi elli di drio.'

* * *

Feiddiai'r caethbobol ddim mynd yn ôl i'r chwarel rhag ofn bod Asol a'i ddynion yn disgwyl amdanyn nhw ac mi fuon nhw'n byw allan dan yr haul a'r ddwy leuad am ddyddiau. Roedd ofn cynnau tân arnyn nhw rhag ofn i Asol weld y mwg a gyrru'r bolocs ar eu holau, felly doedd dim amdani ond bwyta ffrwythau. Yn ffodus i Bongo roedd y caethbobol yn cachu fel pobol y Ddaear ond eu bod yn gwneud hynny'n hollol agored. I rai oedd wedi arfer byw ar gig roedd yr holl ffrwythau yn codi'r bîb arnyn nhw a doedd dim i Bongo weld dwy neu dair yn sgwatio gyda'i gilydd wrth fôn coeden.

'Bongo!' gwaeddodd Cedoro un bore ar ei gwrcwd ger bonyn coeden borffor. 'Dwi wedi hen 'laru ar y ffrwythau 'ma; mi fuasai sleisen o gig bolocs yn neis rŵan. Mi fuasai'n setlo'n stumog i.'

Cytunodd Bongo tra'n gwasgu ei drwyn.

'Beth am i ni'n dau fynd draw am y chwarel i edrych os ydy Asol a'i ddynion yn dal yno? Mi ddown i nôl y merched wedyn.'

Rhwng y bîb a'r merched yn mynnu secs fesul dwy a thair, doedd yna fawr ar ôl o Bongo. Byddai ysbaid oddi wrthyn nhw'n gwneud byd o les iddo. 'Iawn. Pryd 'da ni'n cychwyn?' gofynnodd.

'Rŵan, ond pasia'r ddeilen las yna i mi gyntaf.'

Sychodd Cedoro ei din, cydiodd yn ei bicell a ffarweliodd y ddau â'r merched. Bu raid croesi'r Afon Ddu unwaith yn rhagor, ond gwyddai Bongo na ddeuai'r un bolocs ar ei drywydd efo'r fath arogl arno. Roedd hi'n dechrau nosi, a 'run o'r ddwy leuad wedi codi'n iawn eto. Sleifiodd y ddau o lech i lwyn nes cyrraedd yr ysgol i lawr i'r chwarel.

'Mi a' i gyntaf,' sibrydodd Cedoro. 'Mi wna i chwibanu dair gwaith os bydd hi'n glir,' meddai cyn diflannu dros ochr y twll. Cuddiodd Bongo y tu ôl i goeden ac edrych i lawr y dyffryn drwy'r gwyll rhag ofn bod Myll ac Asol ar eu ffordd yn ôl. O fewn dim, clywodd dair chwiban a chychwynnodd yn araf i lawr yr ysgol, yn falch na welai waelod y twll y tro hwn.

Pan gyrhaeddodd y gwaelod roedd Cedoro wedi tanio ffagl. 'Mae'r diawled wedi chwalu'n pethau ni i bob man,' meddai wrth chwilio am ei eiddo.

Tarodd llygaid Bongo ar bentwr o botiau gwag ger mynedfa un cwt gwellt. 'Myll, y basdad! Mae o wedi yfad ein lagyr ni i gyd!'

*   *   *

Doedd JP ond newydd ddeffro ac yn gorwedd dan gwrlid o ddefnydd tebyg i sidan plastig pan glywodd rywun yn cerdded i mewn i'w iglw. Cododd ar ei eistedd. Caethferch oedd yna; doedd ganddi fawr amdani ar wahân i streipiau o olew ar ei chroen. Cododd y cwrlid fel pabell un polyn o flaen JP. 'B . . . b . . . be 'tisio?'

'Mae'r sborts-car yn barod i chi ei brofi,' meddai gan sefyll wrth ei wely.

'O.'

'Ydych chi am ddod efo mi i'w weld nawr?'

'Ym . . . ' Doedd gan JP ddim cerpyn amdano a homar o fin.

'Ia . . . iawn,' a chododd o'i wely gyda'r gaethferch yn syllu arno.

Fedra fo ddim dal yn ôl. 'Doedd hyn yn ormod o demtasiwn? Symudodd JP a'i fin yn nes at y gaethferch. Rhoddodd ei freichiau amdani a'i thynnu hi ato. Cusanodd hi. Dechreuodd ei dwylo hi redeg ar draws ei gefn noeth. Tyfodd y

89

twlsyn gryn fodfedd arall. Camodd y gaethferch yn ôl am yr hamoc gan orwedd arno, a thynnwyd JP tuag ati gan ddisgyn i'w breichiau. Lapiodd y gaethferch ei choesau noethion amdano a dechreuodd JP duchan. Prin y clywodd sŵn yn nrws yr iglw. Angylion ddylai fod yn canu yn ei glustiau ar foment fel hon, ond brain roedd o'n glywed.

'Blydi hel! Ijiffani sy 'na – yn canu!' Neidiodd JP i'w draed gan dynnu'r gaethferch oddi ar y gwely. Cydiodd mewn gŵn borffor oedd yn gorwedd ar gadair a thaflodd hi dros ei ben. 'Ijiffani, mae'r sborts-car yn barod. Mae'r eneth yma wedi dod draw i ddeud wrtha i,' meddai gan obeithio nad oedd hi'n amau dim. 'Wyt ti am ddod efo ni?'

Edrychodd Ijiffani ar y gaethferch fel petai hi'n lwmp o gachu. Yna edrychodd ar dalcen JP. 'Jê-Pî. Beth yw'r peth du yna ar dy dalcen di?' gofynnodd.

Edrychodd JP ar y drych du o'i flaen. Daeth ei wyneb i'r golwg. Roedd streipen o olew ar ei dalcen, un arall ar ei foch a phe na byddai'r ŵn borffor amdano mi fyddai Ijiffani wedi gweld rhagor. 'Ym . . . sebon . . . sebon du sydd gynnon ni ar y Ddaear.'

Doedd Ijiffani ddim wedi ei llwyr argyhoeddi, ond cydiodd yn llaw JP. 'Tyrd, mi awn i weld y chwim-gerbyd,' a cherddodd y ddau i gyfeiriad y ffatri. Y tu allan roedd cerbyd isel a tharpwlin melyn drosto. Safai'r hen gaethferch wrth ei ochr.

Plygodd ei phen. 'Mae'r chwim-gerbyd yn barod, syr,' a rhoddodd blwc i'r tarpwlin nes iddo lithro i'r llawr gan ddatgelu car isel, pinc.

'Neis iawn, musus. Neis iawn.'

Edrychodd Ijiffani yn syn. 'I beth mae hwn yn da, Jê-Pî? Mae hi'n anodd iawn mynd iddo.'

Ond roedd y caethferched wedi rhag-weld hyn. Pwysodd yr hen gaethferch fotwm ar ochr y car a chododd dau ddrws fel adenydd gwylanod. Fel y gŵr bonheddig yr oedd o, mi helpodd JP y Nocsan i mewn cyn mynd y tu ôl i'r llyw. Doedd JP ddim yn un da am wneud llun ac yn anffodus roedd y caethferched wedi dilyn ei gyfarwyddiadau i'r fodfedd. Prin ddwylath oedd uchder y car ac nid eistedd ond gorwedd oedd y ddau ynddo. Doedd y botymau a'r pedalau ddim yn gyfarwydd i JP. Edrychai mewn cryn benbleth. 'Pwysa hwnna,' meddai Ijiffani gan gyfeirio at fotwm o'i flaen. 'Hwnna sy'n tanio'r peiriant.' Daeth golau gwyrdd ymlaen ond chafwyd ddim rhuo cyfarwydd car cyflym. Wedi meddwl, doedd dim sŵn yn dod o unrhyw un o gerbydau'r Nocsus.

'Be rŵan?' gofynnodd JP.

'Os pwysi di'r bedal yna,' meddai Ijiffani gan rwbio yn erbyn ei gwd wrth ddangos y bedal rhwng ei draed, 'mi gychwynnith y cerbyd.'

Pwysodd JP y bedal. Roedd wedi gyrru ceir cyflym yn America. Mustangs a Corvettes. Yr arferiad oedd gwthio ei droed i'r bôrds cyn codi'r clytsh. Dyna wnaeth â char pinc y Nocsus. Ond doedd yna ddim clytsh. Neidiodd y cerbyd yn ei flaen gan daflu'r hen gaethferch i bentwr o deiars. Doedd y llyw ddim yn gyfarwydd i JP chwaith. Dim olwyn oedd o, ond llyw fel un beic. Yn ffodus, roedd wedi gwibio'n feunyddiol i lawr Gypsy Hill ar ei feic sawl degawd yn ôl a daeth sgiliau ei lencyndod yn ôl yn raddol iddo. Penderfynodd mai gwell fyddai anelu am dir agored gan y gwyddai na allai lywio'r chwim-gerbyd ar gyflymdra o'r fath rhwng yr iglws.

Roedd Ijiffani wrth ei bodd. Doedd hi erioed wedi cael profiad tebyg. Gorweddai ar ei chefn gan edrych allan drwy'r ffenest ar y tirwedd amryliw yn gwibio heibio'i llygaid. 'Mae hyn yn wych, Jê-Pî,' meddai. 'Elli di fynd yn gynt?'

Ond allai JP mo'i hateb; prin y gallai lywio'r cerbyd ar y fath gyflymdra. Codai cwmwl o lwch melyn y tu cefn iddyn nhw. 'S . . . sut dwi'n stopio hwn?'

'Dal i fynd, Jê-Pî, mae hyn yn hwyl,' oedd unig ateb Ijiffani.

Roedd Bongo a Jiwli ar un o'r bryniau porffor yn casglu grawn i fragu rhagor o lagyr pan welsant y cwmwl melyn islaw. 'Tybed beth yw hwnna?' gofynnodd Jiwli. 'Efallai bod gan Asol dric newydd i geisio'n dal ni.'

Syllodd Bongo ar flaen y cwmwl a gwelai rywbeth a ymdebygai i sborts-car pinc. 'Sgynnoch chi sborts-cars ar Delta Equinox?' gofynnodd. Yn amlwg nid oedd, gan nad oedd gan Jiwli'r syniad lleiaf am beth roedd o'n sôn. 'Car isel sy'n mynd ar uffar o sbîd,' eglurodd Bongo, ond codi'i hysgwyddau wnaeth Jiwli.

Gwibiai'r chwim-gerbyd rhwng y bryniau. Ceisiai JP ei gadw yn y canol rhwng pob bryn rhag taro rhywbeth. Llwyddodd yn rhyfeddol i wneud hyn, ond wrth fynd o gwmpas un o'r bryniau gwelodd glwstwr o goed yn y pellter. 'Ym, Ijiffani, 'sa'n well i ni arafu. Mae yna goed yn fan'cw.' Ond gymaint oedd cyflymder y chwim-gerbyd fel eu bod wedi cyrraedd y coed erbyn i Ijiffani ddangos beth i'w bwyso. Roedd coeden fawr las ar lwybr y cerbyd a throdd JP y llyw i'r dde i'w hosgoi. Llwyddodd, ond nid heb daro rhywbeth a ymdebygai i dwll cwningen enfawr. Plannodd olwyn flaen y chwim-gerbyd i'r twll a chwyrlïodd y car fel top gan ddod i stop ganllath yn ddiweddarach.

JP oedd y cyntaf allan. Pwysodd yn erbyn coeden a chwydodd ei gyts allan. Un sâl fuodd o erioed ar yr atyniadau yn y Marîn Lêc yn Rhyl, a phrofiad tebyg oedd yr un yn y car yn troi fel top.

'Esu, JP!' meddai Bongo o ben y bryn. Cydiodd yn llaw Jiwli a brysiodd tuag at y car pinc. Roedd JP yn sychu ei geg â chefn ei law pan gyrhaeddodd y ddau. 'Uffar o gar gen ti, JP,' meddai Bongo wrth edrych ar y chwim-gerbyd pinc. 'Lle gest ti o?'

Doedd JP ddim yn teimlo'n ddigon da i egluro iddo a chafodd osgoi hynny gan fod Ijiffani wedi dod allan o'r car. 'Mae Niblo eisiau gair â ti, Bongo,' meddai. 'A tithau,' meddai gan gyfeirio at y gaethferch.

'No-wê,' meddai Bongo gan gydio'n dynn yn llaw Jiwli.

'Yli,' meddai JP a'r lliw'n dechrau dychwelyd i'w wyneb. 'Dwisio gair efo chdi hefyd,' a chydiodd yn ei fraich a'i dywys o glyw Jiwli ac Ijiffani. ''Da ni'n y cachu. Wyt ti'n rhedag yn wyllt yn y brynia 'ma, mae Myll wedi cael ei daflu i dwll du a . . . '

'Sut uffar gath Myll ei daflu i dwll du?'

'Meddwi rhai o'r Nocsus wnaeth o. Roedd o wedi cael hyd i lagyr . . . '

'Mi fyswn i'n gadal y basdad yn y twll du ar ôl iddo yfad ein lagyr ni i gyd.'

'Ond ti'm yn dallt. Mi fyddwn ni yma am byth. Fedra i ddim fflïo'r capsiwl yn ôl i'r Ddaear fy hun. A dwi'n siŵr nad wyt ti a Myll ddim isio bod yma ar hyd eich oes?'

'Dwi reit hapus yma efo Jiwli. Mae hi'n uffar o ddynas. Well na dim byd gei di ar y Ddaear.'

'Ond be 'sa'r Nocsus yn dy ddal di? Mi fysan nhw'n lladd Jiwli ac mi fysat titha mewn twll du fatha Myll.'

Crafodd Bongo ei ben. 'Ia, ella dy fod ti'n iawn. Yn lle'n union mae Myll?' Ac eglurodd JP mai ar gyrion tref Niblo roedd o.

Roedd Ijiffani wedi cyrraedd erbyn hyn. 'Gawn ni fynd yn y chwim-gerbyd eto, Jê-Pi?' gofynnodd.

'Ia . . . iawn,' atebodd cyn troi at Bongo. 'Meddylia di be dwi wedi'i ddeud wrthat ti,' a throdd at y cerbyd pinc. Roedd Ijiffani i mewn o'i flaen ac yn gorwedd yn y sedd yn barod am y daith yn ôl. Ymunodd JP â hi. 'Mae angen dipyn o adjystments i hwn cyn i Niblo'i gael o,' meddai, a chychwynnodd y car yn ôl am y ffatri.

*   *   *

Roedd gan Bongo fanana fawr borffor dan ei fraich wrth iddo symud yn araf trwy'r tywyllwch tuag at dwll du Myll. Gwelai lygaid cochion y bolocs yn sgleinio yn y tywyllwch. Taflodd y fanana i'w gyfeiriad a chlywodd sŵn sglaffio awchus. Aeth yn nes at y twll. 'Myll!' sibrydodd. 'Ti sy 'na?'

Oedd, mi roedd Myll yna. Doedd o ddim yn disgwyl ymwelwyr. Deuai dynion Asol draw bob hyn a hyn a thaflu ffrwythau pydredig drwy'r bariau. Yr unig gwmni a gafodd o ers ei daflu i'r twll oedd y bolocs oedd yn ei warchod. Doedd

Taitas ddim wedi mentro draw i'w weld. Allai hi ddim fforddio cael ei gweld gydag un a esgymunwyd o'r gymdeithas. Byddai'n ddigon amdani. 'Pwy ffwc ti'n meddwl sy 'ma? Ali Baba?'

'Dod i edrach sut oeddat ti o'n i . . . er dy fod ti wedi'u helpu nhw i drio 'nal i.'

'Doedd gen i ddim dewis. Nhw wnaeth fforsio fi.'

'Ac wedyn yn yfad lagyr y slêfs i gyd. Dwi 'di gorfod hel hada ers dyddia i wneud 'chwanag.'

'Stwff da oedd o hefyd. Mi roedd Asol yn asols ar ôl 'i yfad o . . . '

'A dyna pam ti'n fan'ma?'

'Ia. Elli di gael fi allan?'

'Yli, dwi mewn digon o draffarth yn barod, ond ma' JP yn poeni y bydd o yma am byth a dwi'n meddwl bod ganddo rywbeth i fyny'i lawas i'n helpu ni. Ges i air sydyn efo fo ond roedd yr Ijiffani 'na efo fo a fedra fo ddim deud llawar.'

'Be uffar ti'n da yma os nad wyt ti'n mynd i'n helpu fi?'

Ond chafodd Bongo ddim cyfle i egluro gan iddo glywed sŵn chwyrnu y tu ôl iddo. Roedd y bolocs wedi gorffen bwyta'r fanana ac wedi llyfu ei geg. Rŵan, roedd tin Bongo o fewn cyrraedd. Trodd y Daearwr i weld dwy resiad o ddannedd miniog yn dod i'w gyfeiriad. Llamodd fel llyffant o'i gyrraedd a chlywodd safn y bolocs yn cau'n glep fel llyfr fodfedd oddi wrth ei din. Roedd y creadur yn mewian dros y dyffryn wrth i Bongo frysio i ddiogelwch y bryniau a breichiau croesawgar Jiwli.

* * *

'Be ti'n feddwl o hwn?' gofynnodd JP wrth ddangos y chwim-gerbyd pinc i Niblo.

'I beth mae o'n da?' gofynnodd hwnnw.

'I gael mynd fel diawl o gwmpas y lle 'ma. I gael dangos dy hun. I gael . . . ' Methodd JP â meddwl am ragor o resymau i gael sborts-car. 'A does gan neb arall ar Delta Equinox un.'

'Mae hynny'n wir, ond mi fydd hi'n ddigon hawdd iddyn nhw gael un. Dim ond mynd i'r ffatri.'

'Ia, ond mae hwn yn egsglwsif i ti. Dwi wedi dweud wrth bobol y ffatri am beidio gwneud dim mwy ohonyn nhw . . . dim yn union yr un fath â hwn, wrth gwrs.'

Doedd hyn yn gwneud dim synnwyr i Niblo. I beth roedd o eisiau car roedd bron yn amhosib mynd i mewn ac allan ohono? I beth roedd o eisiau teithio'n gyflym ac yntau â digon o amser ar ei ddwylo? Ond roedd JP yn mynnu ei fod yn mynd iddo, ac roedd Ijiffani hefyd yn edrych ymlaen at gael tro cyflym arall. Doedd Niblo ddim yn gyfforddus yn y chwim-gerbyd; mynnodd fod JP yn cymryd y llyw a gadawyd Ijiffani'n siomedig ger yr iglw.

Doedd Niblo erioed wedi teithio mor gyflym yn ei fywyd. Chwyrlïai'r chwim-gerbyd pinc rhwng y bryniau gan brin osgoi coed a cherrig. 'D . . . dyna ddigon, JP,' meddai Niblo'n grynedig wedi peth amser. 'M . . . mae o'n gerbyd g . . . gwych.'

Gwnaeth JP i'r car droi'n ei unfan cyn sgrialu'n ôl am y dref. Roedd Ijiffani a'r swyddogion yn disgwyl amdanyn nhw y tu allan i'r iglw. Prysurodd Ijiffani at y car i agor y drws. 'Oeddech chi'n hoffi'r car, Niblo?'

Ond ddywedodd Niblo ddim er iddo agor ei geg. Nid geiriau ddaeth allan ond ffrwd o chŵd ffrwythau. Dyma'r unig dro i Niblo chwydu ei berfedd allan . . . a JP oedd yn gyfrifol am hynny . . .

10

Roedd y chwim-gerbyd pinc yn tynnu cryn sylw y tu allan i iglw Niblo. Doedd neb wedi gweld dim byd tebyg iddo o'r blaen ar Delta Equinox. Cerbydau i fynd o un lle i'r llall oedd cerbydau'r Nocsus, nid rhywbeth i gael pleser ohonynt. Ac roedd hwn i'w weld fel rhywbeth a roddai bleser, hyd yn oed os oedd o wedi gwneud i Niblo chwydu am y tro cyntaf yn ei fywyd. Gan nad oedd chwydu'n beth cyffredin ymysg y Nocsus, roedd rhai'n credu bod cael chŵd ar ddiwedd taith yn rhan hanfodol o'r hwyl. Ac mae'n siŵr y buasai Niblo wedi cachu'n ei drwsus pe byddai ganddo dwll tin. Yn ffodus, doedd ganddo fo na'r un o'r Nocsus eraill un.

Roedd pawb yn awyddus i gael taith yn y cerbyd pinc ac roedd Niblo wedi cymryd at y car gan nad oedd dim un arall tebyg i'w gael. Wedi iddo newid ei ddillad, gorchmynnodd JP i ddod i'w weld.

'JP, mi rydw i'n hoffi'r chwim-gerbyd pinc. Ond oes raid iddo fynd mor gyflym?'

'Na, na, Niblo. Jyst dangos o'n i ei fod o'n gallu mynd ar sbîd.'

'O.' Cerddodd Niblo at y drws i edrych ar ei degan newydd, yn wir, ei unig degan. Byw bywyd digon anniddorol a wnâi'r Nocsus. Doedd ganddyn nhw fawr o eiddo personol, fawr ddim y gallen nhw ei alw'n perthyn iddyn nhw. Onid oedd popeth i'w gael am ddim gan y caethferched? Wel, ar wahân i ryw. Ac mi fuasen nhw'n cael hwnnw, hefyd, pe bai'r fath beth yn bosib rhyngddyn nhw. A bwyd digon undonog oedd ganddyn nhw; ffrwythau a llysiau a dim darn o gig, a chaen nhw chwaith mo'r pleser o gael pisiad neu gachiad yn ddiweddarach. Rŵan roedd JP wedi cyflwyno rhywbeth yr oedd pawb ei eisiau. Mae'n wir bod Taitas wedi gwirioni ar goc Myll a bod Ijiffani bron â marw eisiau cael chwarae ag un JP, ond roedd y chwim-gerbyd yn wahanol. Rhywbeth i'w ddefnyddio dros dro oedd coc, ond mi allai chwim-gerbyd sefyll o flaen yr iglw ddydd a nos i'w ddangos i'r Nocsus eraill.

'Diolch, Jê-Pî,' meddai Niblo, gan ddefnyddio gair na wnâi'n aml iawn. 'Mae'r chwim-gerbyd wedi fy mhlesio.'

Nodiodd JP.

'Oes yna rywbeth alla i ei gael i chi, Jê-Pî?'

'Wel, ym, oes . . . '

Camodd Niblo tuag ato.

'Myll a Bongo . . . '

'Mmm . . . ' meddai Niblo gan rwbio'i ên â'i law chwith. 'Y ddau ddihiryn . . . Y broblem, JP, ydy bod y ddau yn . . . yn ceisio tanseilio'n cymdeithas ni. Mae Bongo'n mynnu cael cyfathrach â'r caethferched a Myll yn mynnu meddwi'r Nocsus . . . '

'Ifanc ydyn nhw, Niblo, mi gallian nhw 'chi.'

'Efallai wir, ond mi fyddan nhw wedi chwyldroi'n cymdeithas ni . . . a hynny er drwg. Alla i ddim meddwl sut le sydd ar y Ddaear os ydy'r ddau yma'n nodwediadol o'ch pobol chi. Ynteu ydy pawb fel y chi, Jê-Pî?'

'Wel, ym . . . debycach i mi, Niblo,' meddai gan wthio'i frest allan. 'Tebyg i mi yw'r rhan fwyaf.'

'Diolch am hynny, diolch am hynny . . . neu mi fyddai'n amhosib i ni feithrin perthynas â phobol y Ddaear.'

'Wrth gwrs,' meddai JP gan nodio'n frwdfrydig. 'Ond be wnawn ni efo'r ddau, Niblo?'

Roedd Niblo yn dal i edrych ar y chwim-gerbyd pinc y tu allan. 'Mi gawn ni air â Myll gyntaf. Os wnaiff o addo ymddwyn yn weddus tra bydd o yma, efallai y gallwn ni ei ryddhau o o'r Twll Du.'

Camodd JP tuag ato. 'Diolch Niblo, diolch yn fawr. Mae o'n

siŵr o fyhafio, mi wna i sicrhau hynny.'

'Awn am dro yn y cerbyd unwaith eto – yn araf y tro yma, a fory mi gawn air â Myll.'

*   *   *

Mi roedd y cyflenwad newydd o lagyr yn cymryd gormod o amser i'w fragu i Bongo. Roedd eisoes wedi'i brofi ddwywaith ac roedd blas fel piso cath arno. Roedd o, hefyd, yn dechrau blino ar sgwrs y caethbobol. Doedden nhw ddim yn malu cachu fel pobol Caernarfon. Ac am y merched . . . ! Roedd Bongo wedi breuddwydio ers blynyddoedd – yn wir er pan oedd tua deg oed – am fod ymysg haid o ferched prydferth, noethion, cocwyllt. A dyma fo, wedi gwireddu'i freuddwyd. Ond wedi rhai wythnosau o'r merched yn leinio i fyny fel prodycsion lein i gael eu dobio, roedd Bongo'n dechrau colli blas ar bethau. Teimlai hiraeth am nosweithiau gwyllt yn y clwb rygbi. Digon o ddiod a Myll ac yntau wedyn yn ceisio denu'r ferch ddelaf yn y clwb gan obeithio y caen nhw wahoddiad ganddi i'w fflat. Yma, ymysg y caethferched, doedd yna ddim camp. 'Doedden nhw ar gael ddydd a nos? Oedd, roedd o'n eithaf hoff o Jiwli, ond allai hi ddim dadlau am ragoriaethau Lerpwl dros Everton neu Gaernarfon dros Fangor. Doedd y caethbobol yn gwybod dim am bêl-droed na rygbi er i Bongo geisio egluro iddyn nhw.

Yn wir, roedd Bongo'n colli Myll – er fod y basdad wedi cydweithio ag Asol i geisio'i ddal. Gwyddai ddigon rŵan sut i ddal bolocs a pha ffrwythau a llysiau i'w bwyta. Gwyddai y gallai o a Myll fyw gyda'i gilydd fel dihirod yn y bryniau. Un noson, a'r caethbobol i gyd yn cysgu – ar wahân i ddwy gaethferch oedd yn disgwyl i Bongo fynd ar eu cefnau – sleifiodd i fyny'r ysgol ac allan o'r chwarel. Roedd picell yn un llaw a sach â darnau o ffrwythau ynddi yn y llall. Gwelai olau glas tref Niblo yn y pellter a brysiodd trwy'r gwyll tuag ati. O fewn dim roedd yn nesáu at y Twll Du. Arafodd ei gamau er mwyn iddo allu gweld y bolocs cyn i hwnnw ei weld o. Yna gwelodd bâr o lygaid cochion yn syllu tuag ato. Tynnodd ddarn o ffrwyth o'i sach a'i daflu i'w cyfeiriad. Camodd yn nes ato ac â'i holl nerth plannodd y bicell i wddw'r bolocs. Cafwyd gwich.

'Be ffwc oedd hwnna?' meddai llais o'r twll.

'Myll! Fi sy 'ma. Dwi 'di lladd y bolocs ac wedi dod i dy achub di. Arna ti beint i mi.'

'Ew, diolch Bongo. O'n i'n meddwl y bysat ti.'

Gwthiodd Bongo flaen y bicell i glo'r bariau oedd yn cau ceg y Twll Du. Cafwyd clec a disgynnodd yn ddarnau. Roedd Myll yn fain fel milgi a bron â llwgu; yn wir pe byddai wedi meddwl am y peth gallai fod wedi gwthio drwy'r bariau.

'Diolch yr hen fêt,' meddai gan roi ei fraich am sgwyddau Bongo.

'Paid â malu cachu, ty'd i helpu fi i gael darnau o gig o'r bolocs 'ma,' meddai Bongo oedd eisoes wedi plannu ei gyllell i ochr y creadur. Torrodd lympiau mawr o gig a'u rhoi yn y sach.

'Elli di fyta peth fel'na?' gofynnodd Myll. 'Mae golwg y diawl arno.'

'Gelli siŵr dduw. Dyna mae'r slêfs i gyd yn fyta.'

Roedd y bolocs yn debyg i neidr erbyn i Bongo orffen ag o. Doedd dim ar ôl ond pen a chynffon hir ac asgwrn main yn y canol. 'Ty'd, brysia! Rhaid i ni fynd i'r brynia cyn iddi oleuo,' a rhoddodd Bongo ei sach ar ei gefn a'i chychwyn i ben y bryn agosaf gyda Myll yn ei ddilyn orau y gallai.

*   *   *

'Mae o wedi mynd . . . ac mae o wedi lladd a bwyta fy molocs gorau i,' meddai Asol wedi colli'i urddas arferol.

'Pwy?' gofynnodd Niblo wrth eistedd ar erchwyn ei wely.

'Myll! Mae o wedi dianc o'r Twll Du!'

Neidiodd Niblo ar ei draed. 'Wedi dianc o'r Twll Du?! Mae hyn yn . . . amhosib. Does neb wedi meiddio gwneud hyn o'r blaen!'

'Ond mae o wedi mynd, Niblo . . . a does dim ar ôl o fy hoff folocs, ond . . . ond pen ac asgwrn!' Pe byddai modd i Nocsun gael deigryn yn ei lygaid mi fyddai gan Asol un.

'Cer i nôl Jê-Pî,' gorchmynnodd Niblo.

Roedd JP wedi codi ers peth amser. Roedd o'n cael trafferth cysgu ers iddo gyrraedd Delta Equinox. Deryn y nos oedd JP. Doedd o ddim yn un am fynd i'w wely'n gynnar. Fo fyddai'r olaf yn gadael ei glwb nos wedi iddo sicrhau bod yr arian yn ddiogel a phob ffenest a drws wedi'u cloi. Ond yma, ar y blaned bell, doedd dim i'w wneud. Roedd wedi 'laru mynd am dro efo Ijiffani. Roedd arno ofn drwy'i din y byddai Niblo yn ei dal yn chwarae efo'i goc. Âi i'w wely'n gynnar ond methai â chysgu gan y byddai syniadau'n mynd rownd a rownd yn ei ben. Beth allai o wneud i geisio sicrhau bod bywyd yn fwy diddorol? Doedd dim pwrpas meddwl am wneud arian. Doedd dim o'r fath beth ar gael yno. Roedd y chwim-gerbyd wedi mynd â'i fryd ers rhai dyddiau ond, ar wahân i blesio Niblo beth arall allai gyflawni? Sut allai o fanteisio arno?

'Mae Niblo eisiau dy weld ar frys!' harthiodd Asol pan gyrhaeddodd iglw JP. Brysiodd y Daearddyn y tu ôl i'r Nocsun mawr tuag at iglw'r pennaeth. Roedd Niblo â'i gefn ato pan gyrhaeddodd JP.

'Myll!' meddai.

'Ydach chi wedi penderfynu ei ryddhau?'

'Rhyddhau!'

Doedd JP ddim wedi gweld Nocsun wedi gwylltio o'r blaen. Pobol dawel, fyfyrgar oedd y Nocsus. Doedd dim ar y blaned i'w gwylltio fel arfer. Ond, y tro hwn, roedd gwawl borffor wedi ymledu dros wyneb Niblo ac roedd ei glustiau wedi codi i fyny fel rhai cwningen wedi synhwyro ffured. Ceisiodd Niblo ymbwyllo. Tynnodd ei wynt ac yna eisteddodd ar gadair.

'Mae . . . mae Myll wedi torri allan o'r Twll Du. Mae o wedi lladd – ac efallai wedi bwyta – bolocs gorau Asol. Does neb erioed wedi gwneud hyn ar Delta Equinox, neb, nid hyd yn oed y caethbobol.'

Gwelwodd JP. Ai fo fyddai'n mynd i'r Twll Du nesaf? Fyddai o yma am byth? Fyddai o'n marw mewn twll du ar blaned bell? Roedd yn 'difaru ei enaid iddo feddwl am drefnu taith i Delta Equinox. Syrthiodd ar ei liniau o flaen Niblo gan wasgu'i ddwylo o'i flaen. 'Mae'n . . . mae'n wir ddrwg gen i, Niblo. Ddylen ni ddim fod wedi dod i Delta Equinox; yn sicr ddylwn i ddim fod wedi dod â Myll a Bongo yma. Dydyn nhw ddim ffit i adael Caernarfon.'

Cododd Niblo ar ei draed a cherddodd tuag at JP cyn rhoi ei law ar ei ysgwydd. 'Codwch, Jê-Pî. Nid wyf yn eich beio chi. Mae eich ymddygiad yma ar Delta Equinox wedi bod yn ddilychwin. Ond mae'n rhaid i ni wneud rhywbeth ynglŷn â'ch cyfeillion.'

'Wrth gwrs, wrth gwrs,' meddai JP gan edrych ar y llawr. 'Ond be?'

'Y peth cyntaf sydd raid i ni ei wneud yw eu dal nhw. Rwyf wedi gofyn i Asol feddwl am gynllun ac rwy'n disgwyl eich cydweithrediad llawn.'

'Wrth gwrs, wrth gwrs,' meddai JP oedd wedi codi ei olygon tuag at Niblo erbyn hyn. 'Ond . . . ond be wnewch chi efo nhw wedyn?'

'Mi gawn weld . . . '

*   *   *

Roedd Myll a Bongo wedi cyrraedd pen y bryn cyn iddi wawrio. Wedi dyddiau yn y Twll Du roedd coesau Myll fel jeli a châi gryn drafferth i gadw i fyny â Bongo. Ond roedd Bongo wedi bod yn crwydro'r bryniau efo'r caethbobol ac roedd yr un mor heini ag yr oedd pan chwaraeai rygbi yng Nghaernarfon. O'r diwedd, cyraeddasant goedlan mewn pant ar ochr y bryn.

'Neith fan'ma i ni am dipyn,' medd Bongo gan roi ei sach a'i bicell ar y llawr.

'Dwi jest â llwgu,' meddai Myll wedi iddo gael ei wynt ato. 'Doedd y basdad Asol 'na'n rhoi fawr ddim i fyta i mi.'

Estynnodd Bongo ddarn o ffrwyth iddo.

'Ffrwytha? Dwi 'di 'laru ar ffycin ffrwytha! Sgin ti'm cig? Beth am gig y bolocs 'na sgin ti yn dy sach?'

'Ti'n gall? Ti'm di watshad ffilms cowbois? Wnân nhw ddim cynna tân yn ystod dydd rhag ofn i'r Indians weld 'u mwg nhw. Felly mi fydd raid i ti ti aros tan iddi dywyllu cyn i mi ddechra rhostio cig y bolocs.'

Dechreuodd Myll fwyta'r ffrwythau. 'Ti'n gwbod y gelli di neud lysh efo'r ffrwytha 'ma?'

Cododd Bongo ei ben.

''Nes i beth i Taitas. Roedd o'n uffar o stwff. Roedd hi'n slwj ar ôl cael llond ceg ohono fo.'

Roedd Bongo ar ei eistedd erbyn hyn.

'Yr unig beth sydd isio neud ydy rhoi'r ffrwythau mewn pot a rhoi dŵr arnyn nhw. A rhyw ddiwrnod wedyn mae o'n uffar o stwff da. Sgen ti ddŵr a phot?'

'Mae 'na nant fechan yn rhedag islaw'r bryn yma, ond dwn i'm lle uffar ga i bot.'

'Mi wnawn ni dwll yn y ddaear. Dos di i nôl dŵr.'

A thra aeth Bongo i lawr y bryn at y nant, dechreuodd Myll dyrchu â'i ddwylo nes oedd ganddo dwll maint bwced yn y ddaear. Yn ffodus, roedd y tir ar y bryn yn un cleiog ac felly leiniodd ochr y twll â chlai. Dychwelodd Bongo â dŵr mewn deilen enfawr. Arhoswyd i'r clai galedu, yna gosodwyd y ffrwythau ar waelod y twll ac ychwanegwyd y dŵr.

Bu'r ddau'n lled-gysgu nes iddi ddechrau tywyllu. Roedd Bongo wedi estyn cig y bolocs yn barod ac wedi gwthio darn o bren trwyddo. Roedd wedi bod yn hel coed mân ac wedi eu gosod yn un twmpath ar y llawr gyda mwsog crin oddi tanynt. Rhoddwyd y cig i grogi uwchben y pentwr.

'Ydy hi wedi t'wllu digon rŵan, Bongo?' gofynnodd Myll sawl gwaith gan lyfu'i weflau.

O'r diwedd, penderfynodd Bongo ei bod yn ddigon diogel i

gynnau'r tân. Roedd ganddo ddwy garreg fechan yn ei sach. Tarodd y ddwy ger lwmp o fwsog nes cafwyd gwreichion, yna chwythodd nes daeth fflamau ac yna taniodd y pentwr o dan gig y bolocs.

'Esu, mae 'na ogla da yma, Bongo.'

Nodiodd hwnnw. Eisteddodd y ddau o gwmpas y tân yn gwylio'r saim yn araf-ddisgyn o'r cig i'r fflamau. Câi'r cig ei droi bob hyn a hyn gan Bongo er mwyn sicrhau ei fod yn cael ei goginio drwyddo.

'Tyrd laen myn uffar i. Dwi jest â llwgu!' meddai Myll gan estyn ei law tuag at y cig.

'Dal dy ddŵr. Tisio bod yn sâl? Witsha iddo fod yn barod. Dau funud arall.'

O'r diwedd, roedd y cig wedi'i goginio drwyddo a sglaffiodd Myll lympiau anferth ohono. Doedd dim ar ôl o'r bolocs o fewn hanner awr a gorweddai'r ddau'n fodlon ar y brownwellt.

'Dyna 'sa'n dda rŵan,' meddai Myll.

'Be?'

'Dynas.'

'Yli, dwi wedi cael digon o ferchaid i gadw fi fynd am oes. Mae'r slêfs 'ma'n gocwyllt.'

Cododd Myll ar ei eistedd. 'Cocwyllt?'

''Dyn nhw ddim yn gall. Maen nhw'n despret amdani. Roeddan nhw ar fy nghefn i ddydd a nos. Dyna pam nes i ddengid. I gael rest.'

'Ti'n gall?' gofynnodd Myll gan rwbio'i gwd. 'Lle maen nhw rŵan?'

'A' i â chdi yno ymhen rhai dyddia. Ella y bydda i ffansi 'chydig o secs erbyn hynny.'

'Gawn ni fynd rŵan?'

'Na, mae'n rhy beryg. Mi fydd Asol a'i ddynion yn chwilio amdanon ni. Beth bynnag, dydy'r lysh ddim yn barod eto.'

Fu Myll fawr o dro nes iddo syrthio i drwmgwsg gan

freuddwydio am lysh a chaethferched cocwyllt Delta Equinox.

*　*　*

Bu raid i JP fynd â Niblo am dro yn y chwim-gerbyd pinc. Edrychai JP ar y pennaeth bob hyn a hyn ac roedd yn siŵr y gallai weld rhywbeth tebyg i wên ar ei wyneb. 'Arhoswch wrth y goeden yna,' meddai Niblo gan gyfeirio at goeden felen â dail coch mawr yn ei gorchuddio.

Tynnodd y chwim-gerbyd yn araf tuag at y goeden. Roedd JP wedi gyrru'n bwyllog o'r dref a thrwy'r wlad. Doedd o ddim eisiau i Niblo chwydu unwaith eto. Roedd pethau'n ddigon drwg ar ddynion y Ddaear yn barod. Pwysodd JP y botwm a chododd y ddau ddrws i'w gadael allan. Cerddodd Niblo at y goeden. 'Myll a Bongo,' meddai gan grafu ei ên. 'Be wnawn ni efo nhw? Sut gawn ni afael arnyn nhw? Beth yw eu diddordebau? Sut allwn ni osod trap i'w dal?'

'Does yna ond dau beth ar feddwl y ddau . . . ' Edrychodd Niblo tuag ato, ' . . . a'r rheiny ydy cwrw a merched.'

'Cwrw a merched, aie?' meddai Niblo gan edrych yn ddwys. 'Fuasai llyfr da ddim yn eu denu?'

'Dim ond os fysa fo'n sôn am gwrw a merched.'

'Reit, mi ddechreuwn ni efo merched. Maen nhw'n llai peryglus na chwrw.'

Cytunodd JP cyn i Niblo ei throi'n ôl am y chwim-gerbyd.

*　*　*

Pan ddeffrôdd Myll a Bongo roedd arogl cyfarwydd yn yr awyr. Cododd y ddau ar eu heistedd a dechrau synhwyro; yna, fel sbangi, aeth Myll ar ei bedwar ar hyd y llawr nes daeth at y twll yn y ddaear. 'Lysh! Bongo, ma'r lysh yn barod!'

Cyn i Bongo allu codi roedd Myll â'i drwyn yn y twll yn llowcio'r gwin ffrwythau. Gwthiwyd o i'r ochr. 'Gad beth i mi'r uffar,' meddai Bongo cyn ymuno ag o yn y cafn. 'Esu yndi, mae

104

o'n stwff da,' ychwanegodd gan lyfu ei weflau.

Fuodd y ddau fawr o dro'n gwagio'r twll yn lân. Ceisiodd y ddau godi ar eu traed ond yn ofer. Roedd y gwin ffrwythau wedi effeithio ar eu coesau a disgynnodd y ddau'n swp i'r llawr a dechrau rhochian cysgu.

Roedd Myll yn breuddwydio unwaith eto am ferched noethion Delta Equinox. Roedd dwsin ohonyn nhw'n edrych arno cyn plygu i lawr a dechrau rhwbio eu dwylo drosto. Dechreuodd Myll ganu grwndi. Teimlodd wefusau glwybion, llawnion yn gwthio i'w wefusau a chafodd hi'n anodd i ganu rhagor o grwndi. Roedd un wedi cael gafael yn ei gwd ac wedi dechrau ei mwytho. Hon oedd y freuddwyd orau iddo'i chael erioed. Roedd hi fel petai'n digwydd go iawn iddo. Agorodd ei lygaid yn araf. Roedd y pleser yn parhau. Câi gip ar yr haul coch yn disgleirio rhwng gwalltiau benywaidd.

'Jiwli, su'mai?' clywodd Bongo'n gofyn.

Agorodd ei lygaid led y pen. Roedd hyn *yn* digwydd go-iawn! Roedd ynghanol haid o ferched cocwyllt! Roedd wedi cael gwireddu ei ddymuniad.

11

Gorweddai Myll fel lleden ar lethrau porffor Delta Equinox. Roedd y caethferched yn ymbincio, wedi cael eu gwala o gwd y Daearwr. 'Ti'n iawn?' gofynnodd Bongo gan weld nad oedd ei gyfaill yn symud, ond mi roedd y wên foddhaus ar ei wyneb yn dweud y cwbwl. Yn raddol cododd Myll ar ei eistedd, ond unwaith y gwelodd y caethferched fod yna fywyd ynddo, mi symudon nhw tuag ato fel llygod at gaws Caer.

Roedd Myll yn ffodus iddo gael llond ei fol o folocs Asol y noson cynt neu fyddai ganddo ddim nerth am sesiwn arall o secs. Gan fod Jiwli yn mynnu cael Bongo iddi hi ei hun, roedd y gweddill yn heidio at Myll, ac er cymaint o ddyn oedd y Daearwr cael eu siomi wnaeth y ddwy ar ddiwedd y ciw.

'Dydy hi ddim yn ddiogel iawn yma,' meddai Jiwli. 'Mae Asol a'i ddynion ar y bryniau'n chwilio amdanoch chi. Mi fuasai'n well i ni fynd oddi yma pan ddechreuith hi dywyllu.'

Cytunodd y ddau Ddaearwr er mai ond nodio wnaethon nhw. Pan fachludodd yr haul coch, gwnaed stretshar i Myll a'i gludo rhwng pedair caethferch tuag at eu chwarel. Roedd wedi dod ato'i hun erbyn cyrraedd noddfa'r caethferched, ond unwaith y daeth oddi ar y stretshar taflodd chwech o gaethferched eraill eu hunain tuag ato tra enciliodd Bongo a Jiwli i gwt gwellt ar gyrion y chwarel.

Roedd cwd Myll fel lwmp o jeli erbyn i'r ddwy leuad werdd ddiflannu dros y gorwel. 'Genod bach . . . ,' meddai wrth geisio cael ei wynt ato. 'Rhowch 'gora iddi . . . dwi'n ffycd,' a syrthiodd yn anymwybodol ar lawr y cwt gwellt.

Bongo ddeffrôdd Myll gan wthio cwpaned o lagyr cartref

dan ei drwyn. Agorodd ei lygaid a gwthio'i dafod allan tuag at y lagyr. Bu raid iddo gymryd sawl cegiad cyn iddo ddod ato'i hun. 'Bongo, dyn nhw ddim yn gall yma . . . '

'Ddudis i'n do. Ti'n gwbod rŵan pam wnes i ddengid o'ma i gael rest.'

Nodiodd Myll. 'Alla i ddim cario mlaen fel hyn . . . mi fydda i wedi marw. Fysan nhw byth yn fy nghredu i adra yng Nghnarfon mod i wedi marw o ormod o secs.'

Ond chafodd Bongo ddim cyfle i gytuno ag o gan fod haid o ferched ar eu ffordd i'r cwt. Roedd rhaid dianc a neidiodd y ddau Ddaearwr drwy dwll yn y cefn a rhedeg am yr ysgol oedd yn mynd allan o'r chwarel.

'Wedi cael digon, fechgyn?' gofynnodd Cedoro wrth iddyn nhw wibio heibio iddo. 'Mi roeddwn inna hefyd. Mi o'n i'n falch pan es i'n rhy hen i gael min . . . '

*   *   *

Roedd Asol a'i ddynion wedi dychwelyd o'r bryniau sawl gwaith heb gael golwg ar y ddau ddihiryn. 'Trap sydd eisiau, Asol,' meddai Niblo.

'Dyna ydy'r cam nesaf,' meddai. 'Mi rydw i wedi clymu pedair caethferch i bolyn wrth droed un o'r bryniau. Mae fy nynion a sawl bolocs yn eu gwarchod o bell. Maen nhw'n siŵr o ddod at y merched.'

'Da iawn, Asol. Da iawn.' Trodd Niblo at JP. 'Ydych chi'n cytuno, Jê-Pî?'

'Ydw, mae'r ddau'n uffernol am ferched. Maen nhw'n siŵr o ddod atyn nhw.'

'Reit, Asol, mi adawa i bopeth yn eich dwylo chi gan obeithio y bydd y ddau ddihiryn o'r Ddaear yn ein dwylo cyn nos. Dewch, Jê-Pî, mi awn am dro yn y chwim-gerbyd.'

Brysiodd JP at y car; roedd yn falch bod Niblo wedi sôn am rywbeth arall ar wahân i Myll a Bongo oedd yn gryn embaras iddo.

Gorweddai Niblo yn sedd y chwim-gerbyd a'r haul gwyrdd yn taro'i olau dros ei wyneb. 'Oes ganddoch chi lawer o chwim-gerbydau ar y Ddaear, Jê-Pî?'

'Oes, ond nid pawb sydd gan rai. Dim ond y bobol gyfoeth . . . y . . . bobol bwysig sydd gan chwim-gerbyd ar y Ddaear. Ac mae yna wahanol fathau ohonyn nhw.'

'Felly'r arweinyddion sy'n berchen ar geir fel hyn?'

'Ia, a . . . bobol . . . sut alla i ddweud? Bobol ddylanwadol. Ia, bobol ddylanwadol.'

'Oes ganddoch chi un, Jê-Pî?'

'Oes, ond nid yn union yr un fath â hwn yndê.'

'Felly, rydych chi'n ddyn o ddylanwad ar y Ddaear?'

'Gellir dweud hynny, mewn rhai rhannau o'r Ddaear yndê.'

'Sut mae cael dylanwad? Sut mae dod yn ddyn pwysig ar y Ddaear, Jê-Pî?'

Gwelodd JP ei gyfle a thynnodd y car i'r ochr. 'Mae gynnon ni rywbeth o'r enw arian ar y Ddaear. A'r mwya o hwnnw sgynnoch chi, y pwysica'r ydych chi.'

'O. A sut mae cael yr . . . yr arian yma?'

'Metel neu bapur yw arian. Ond mae o'n werth llawer mwy na gwerth y metel neu'r papur hwnnw.'

Doedd Niblo ddim yn deall, ond aeth JP yn ei flaen.

'Mi rydych chi'n cael yr arian yma am roi rhywbeth i rywun . . . neu am wneud rhywbeth i rywun . . . neu fel anrheg . . . neu . . . '

'Anrheg?'

'Ie. Mi ellwch chi ddweud mai anrheg i chi ydy'r chwim-gerbyd yma. Anrheg gen i am i chi ein croesawu ni yma.'

Roedd Niblo yn dal yn y tywyllwch. 'Ond mi fyswn i wedi gallu cael un beth bynnag, pe bai'r fath beth yn bod cyn i chi ddod yma, Jê-Pî.'

'Byddai, ond doedd yna'r un yn nagoedd. Mae pobol amlwg a phwysig a dylanwadol y Ddaear un cam ar y blaen i'r gweddill.'

'O.' Roedd pethau'n disgyn i'w lle rŵan. 'Pobol sy'n rhoi

arweiniad a phobol sy'n gwneud penderfyniadau rydych chi'n feddwl felly, Jê-Pî?'

'Ia, dyna fo . . . ' Roedd JP yn falch ei fod o'n mynd i rywle o'r diwedd. 'Felly dim ond y chi a rhai o bobol bwysicaf Delta Equinox ddylai gael cerbyd o'r fath.'

Meddyliodd Niblo'n galed. 'Wnewch chi fod yn gyfrifol am y chwim-gerbydau yma, Jê-Pî? Mi wna i lunio rhestr o'r bobol ddylanwadol.'

'Ella 'sa'n syniad i mi roi help i chi, Niblo . . . ,' meddai JP wrth danio'r chwim-gerbyd a'i chychwyn yn ôl am y dref.

*   *   *

Roedd Myll a Bongo yn eistedd ar gopa un o'r bryniau porffor yn edrych i lawr i'r dyffryn. 'Ew, mae'n braf cael rest,' meddai Myll gan glymu deilen laith am ei gwd i geisio'i chysuro. 'Dwi'm isio gweld dynas am dipyn go lew rŵan.'

Doedd Bongo'n gwrando dim arno, dim ond syllu i lawr i'r dyffryn. 'Beth sy'n fan'cw, 'ta?' gofynnodd.

Cododd Myll ei olygon o'r benbiws boenus. 'Mi awn ni draw i weld, ond yn ara deg. Mae 'nghwd i'n dal i losgi.'

'Be uffar ti'n ddisgwyl? Mae hi'n gig noeth.'

Cerddodd y ddau yn araf rhwng y prysgwydd nes dod at bant bychan gyda choed o'i gwmpas. 'Mae 'na ferched noeth yn fan'cw,' meddai Bongo.

'Yli, dydw i ddim isio gwybod, dwi wedi cael digon arnyn nhw.'

Edrychodd y ddau o hirbell ar y merched. 'Maen nhw'n uffar o betha del.'

'Yli, dwisio rest am wsos neu ddwy i'r twlsyn gael dod ato'i hun. Tyrd, awn ni o'ma,' a throdd y ddau ar eu sodlau gan adael y merched noethion yn torheulo yn y pant islaw.

'Damia!' meddai Asol oedd yn cuddio gyda'i ddynion ymysg y coed. 'Dydy'r ddau Ddaearyn ddim wedi syrthio i'r trap.'

Newyddion drwg oedd gan Asol i Niblo ar ddiwedd y dydd. 'Mi welson nhw'r merched, ond ddaethon nhw ddim atyn nhw.'

Doedd hyn yn gwneud dim synnwyr i JP. Myll a Bongo yn cadw draw o ferched noethion? 'Rhaid i ni drio diod, felly, Niblo,' meddai. 'Wnân nhw ddim gwrthod hwnnw.'

'Ond lle gawn ni beth?'

Camodd Asol i'r adwy. 'Mi wnawn ni nôl peth oddi wrth y caethbobol, ac efallai – efo dipyn o lwc – y gwnawn ni ddal y ddau ddihiryn yno.'

Roedd Myll a Niblo wedi cadw draw o'r chwarel ers rhai dyddiau. Doedd Myll ddim eisiau gweld yr un ferch eto am beth amser, ac roedd hyd yn oed Bongo wedi cael digon am y tro o ferched a rhyw. Roedd y ddau wedi cael lle i aros mewn ogof a edrychai i lawr ar y chwarel. Un bore, yn y pellter, gwelsant griw o Nocsus dan arweiniad Asol yn dringo i fyny tua'r chwarel.

'Be wnawn ni? 'Sa'n well i ni fynd i ddeud wrth Cedoro eu bod nhw ar y ffordd,' awgrymodd Myll.

'Na, wnân nhw ddim iddyn nhw. Chwilio amdanon ni maen nhw. Wnawn ni jest gadw golwg arnyn nhw.'

Nesaodd Asol a'i ddynion tuag at y twll a dechrau dringo i lawr yr ysgol. Roedd Myll a Bongo erbyn hyn wedi dod i lawr o'r bryn ac wedi symud drwy'r llwyni tuag at y chwarel. Unwaith y cyrhaeddodd y Nocsun olaf at waelod yr ysgol, mi aeth y ddau at ochr y twll ac edrych i lawr. Gwelsant y caethferched yn rhedeg o'u cytiau rhag y Nocsus ac yn mynd i guddio ymysg y cerrig mawrion oedd wedi disgyn yn blith-draphlith ar lawr y chwarel. Doedd gan y Nocsus ddim diddordeb yn y merched; mi aethon nhw'n syth i'r cytiau.

'Chwilio amdanon ni maen nhw,' sibrydodd Myll.

Ond nid chwalu cynnwys y cytiau wnaeth y Nocsus. O fewn dim mi welodd y ddau Ddaearyn y Nocsus yn cario llond eu hafflau o boteli pridd allan o'r cytiau.

'Mae'r basdads . . . mae'r basdads . . . wedi dwyn y lagyr,' meddai Myll wrth godi i'w draed.

Cydiodd Bongo yng ngodrau'i wisg a'i dynnu'n ôl i'r llwyn. 'Watshia'r diawl gwirion, neu mi fyddan nhw wedi'n gweld ni.'

'Ond . . . ond,' meddai Myll drwy bwl o atal dweud drwg, 'ma . . . ma'r basdads yn d-d-dwyn y lysh!'

'Chdi ddysgodd Asol i yfed. Mae'n rhaid ei fod o wedi cael blas arno fo. Mi fydd y diawl wedi meddwi eto ac mi geith ei daflu i'r Twll Du. Eitha peth iddo.'

Ond doedd Myll ddim yn gwrando. Roedd yn meddwl am yr holl lagyr ym meddiant y Nocsus. Wedi gwagio'r cytiau o'r potiau lagyr, dechreuodd dynion Asol ddringo'r ysgol allan o'r chwarel gan lusgo'r potiau mewn sach anferth y tu ôl iddyn nhw. Cludwyd y cwrw i gerbyd brown ar waelod y bryn ac yna diflannodd y Nocsus yn ôl i'r dref.

'Ew, mi fyswn i'n gallu gneud efo peint rŵan,' meddai Myll gan lyfu ei weflau.

'Ti'm yn meddwl y dylat ti roi'r gora iddi? Ti mewn digon o drwbwl yn barod!'

'Dim mwy na chdi efo'r hen goc fawr 'na sydd gen ti.'

* * *

Eisteddai JP ar fainc felen ar sgwâr y dref. Edrychai ar y Nocsus yn mynd o gwmpas eu pethau. Os pethau hefyd. Doedd ganddyn nhw ddim gwaith i fynd iddo, na chwaith siopau nac unrhyw atyniadau i fynd iddyn nhw i wario arian. Doedd dim llefydd fel caffis a thafarnau i fynd iddyn nhw i gymdeithasu. Byddai pawb yn cerdded yn ddibwrpas o un lle i'r llall, heblaw pan fyddai'n bwrw. Ond doedd hi wedi bwrw dim glaw ers i'r tri Daearwr gyrraedd. Doedd dim ond haul coch ac ambell gwmwl oren i'w gweld yn yr awyr uwch eu pennau. Ond mi roedd hi'n bwrw am un wythnos bob blwyddyn, meddai Ijiffani. Yr adeg hynny byddai pawb yn aros yn eu cartrefi gyda'u cerbydau a'u bolocs wedi'u cadw'n ddiogel yn eu cytiau, a phob drws a ffenest wedi'u selio'n dynn rhag y dŵr. Yr adeg honno, byddai'r blaned yn cael ei gorchuddio am ddyddiau gan rai modfeddi o ddŵr fyddai'n raddol glirio gan adael nentydd bychain yma ac acw o ble câi'r Nocsus eu dŵr.

Ond ychydig o ddŵr roedd ei angen arnyn nhw. Ychydig iawn o ddŵr a yfent a chaent y rhan fwyaf o'u hylif o'r ffrwythau amryliw yr oedden nhw'n eu bwyta. Doedd JP erioed wedi gweld yr un ohonyn nhw'n ymolchi, heblaw pan welodd o Ijiffani yn rhedeg deilen fawr laith ar hyd ei chorff pan oedd yn sefyll yn noeth ger y llyn yn ei gardd.

Edrychodd JP ar yr awyr. Roedd dau gwmwl oren i'w gweld. Tybed pryd ddechreuith hi fwrw glaw? gofynnodd iddo'i hun. Ond nid dyma oedd yr unig gymylau ar ei ffurfafen. Roedd Ijiffani wedi cyrraedd yn ddiarbwybod iddo ac wedi rhoi ei llaw ar ei gwd cyn iddi hyd yn oed ddweud 'Helô'.

'Rarglwydd goc!' ebychodd JP gan neidio o'r sedd.

'Wnes i dy ddychryn di, Jê-Pî?' gofynnodd Ijiffani.

'Ym, do . . . ond iesu, paid â gafael yn fy nghwd i'n gyhoeddus. I ddeud y gwir, 'sa'n well i ti beidio gwneud o gwbwl . . . rhag ofn i Niblo dy weld di.'

'Ond dydy Niblo ddim yn gwybod beth yw coc, Jê-Pî. Does ganddo'r un.'

Doedd JP erioed wedi cael y drafferth yma o'r blaen. Sut i gadw merched draw o'i goc. Mae'n bosib nad oedd neb ar y Ddaear wedi cael y broblem yma, os nad efallai Errol Flynn.

'Mi wna i addo peidio gafael yn dy goc yn gyhoeddus os ei di â fi am dro yn y chwim-gerbyd,' meddai Ijiffani gan sefyll yn syth fel procer o'i flaen a gwên lydan ar ei hwyneb bwldog.

'Ond car Niblo ydy o.'

Doedd hynny'n golygu dim i Ijiffani, a gwthiodd ei llaw i gyfeiriad ei dwlsyn.

'Ocê, iawn 'ta . . . ' Roedd am ofyn iddi beidio dweud wrth Niblo am y daith, ond be uffar oedd yr ots, doedd perchnogaeth nac eiddo yn golygu ffyc-ôl i'r Nocsus.

112

Roedd y cerbyd wedi'i barcio ger iglw Niblo. Camodd y ddau iddo, taniodd JP y peiriant a chychwynnodd y chwimgerbyd yn araf rhwng cartrefi'r Nocsus ac allan i'r wlad. Roedd Ijiffani wedi agor y ffenest led y pen ac roedd y gwynt yn chwythu'r blew oedd ar ei bochau am yn ôl. 'Mae hyn yn hyfryd, Jê-Pî. Tybed pam na wnaethon ni'r Nocsus feddwl am deithio'n gyflym o'r blaen?'

'Pam wir?' atebodd JP gan gadw'i lygaid ar y tir o'i flaen i geisio sicrhau na fyddai'r chwim-gerbyd yn taro dim. Roedd yn canolbwyntio gymaint ar gadw'r cerbyd yn llinell syth rhwng y coed cnotiog fel na welodd law Ijiffani'n symud yn raddol am ei gwd.

Roedd y chwim-gerbyd yn chwyrlïo ar hyd y brownwellt gan anelu at fryn ar y gorwel. Roedd coeden o gryn faint yn y pellter ond gwyddai JP, o gadw at y llwybr yr oedd yn ei ddilyn, nad achosai'r goeden honno drafferth iddo. Yn sydyn, teimlodd law ar ei gwd a throdd i weld Ijiffani'n gwenu fel giât. 'Blydi hel . . . !' ond chafodd o ddim gorffen ei gerydd. Roedd y chwim-gerbyd wedi newid ei lwybr ac yn anelu at goeden oedd yn debyg o achosi cryn ddifrod iddo. Pan edrychodd JP yn ôl ar y llwybr o'i flaen, gwelodd mai ond llathenni oedd rhyngddo fo a'r goeden. Tynnodd y llyw yn wyllt i'r dde ond yn ofer. Trawodd olwyn chwith y chwim-gerbyd fonyn y goeden a chododd i'r awyr cyn glanio ar ei do gryn ganllath i ffwrdd.

Eiliadau gymerodd hi i JP ddod ato'i hun gan iddo allu cydio'n dynn yn y llyw i'w arbed ei hun, ond pan edrychodd drwy'r ffenest, gwelodd Ijiffani'n gorwedd yn ddiymadferth ar y llawr a hylif gwyrdd yn rhedeg allan o friw ar ei thalcen.

'Ffyc mi! Mae hi wedi cachu arna i rŵan. Dwi wedi malu car Niblo ac mae ei wraig o'n gonar!'

*   *   *

Roedd golwg ddigalon ar Cedoro. 'Ma' golwg arnat ti fel tasa ti wedi piso yn dy wely,' oedd cyfarchiad Myll.

113

'Dwi'm 'di cael diod o lagyr ers dyddiau. 'Dydy'r Nocsus wedi dwyn ein diod ni i gyd? Mae'n rhaid eu bod nhw'n dechrau cael blas arno fo. Mi adawon nhw bopeth arall yn ein cytiau heb eu cyffwrdd.'

'Fel'na ma' lysh,' meddai Myll yn ddoeth. 'Unwaith 'da chi'n cael blas arno, mae hi'n uffar o job rhoi'r gorau iddi.'

Nodiodd Cedoro. 'Rŵan, mae'n rhaid i ni ddechrau hel hadau unwaith eto i wneud rhagor o lagyr ac mi fydd hi'n ddyddiau cyn y bydd yn barod.'

Roedd Myll mewn llwyr gydymdeimlad ag o.

'Fysa'n well i mi fynd i helpu'r merched, mae'n siŵr. Does dim awydd arnoch i ddod i'n cynorthwyo?' gofynnodd i'r ddau.

Ond er cymaint syched y ddau Ddaearwr, doedd fawr o awydd mynd i hel hadau arnyn nhw. Onid oedden nhw wedi arfer cael eu gwala o bwmp a chàn? 'Ym, braidd yn brysur ar hyn o bryd, Cedoro,' meddai Myll. 'Ym . . . lot o waith meddwl.'

A throdd y pennaeth ar ei sawdl ac ymlwybro i gyfeiriad haid o ferched oedd ar eu gliniau yn y pellter yn hel hadau gwair i'w bragu.

'Mi fydd hi'n ddyddia eto cyn y bydd yna lagyr yn barod, Bongo,' meddai Myll gan lyfu'i weflau. 'Be wnawn ni?'

Ond roedd Bongo'n dechrau colli cwmni Jiwli ac edrychai arni â'i thin i fyny yn y brwgaets yn hel hadau lagyr. 'Dwi'n meddwl yr a' i draw i helpu'r merchaid,' meddai.

'Dos di 'ta. Dwi'n cadw draw oddi wrthyn nhw nes daw'r twlsyn yn ôl i drefn,' a pharhaodd Myll i edrych i lawr i'r dyffryn tra'r aeth ei gyfaill i gasglu'r hadau. Ond allai Myll ddim eistedd yn llonydd yn hir a phenderfynodd fynd i lawr tuag at gyrion y dref am dro. Craffai o'i gwmpas bob hyn a hyn rhag ofn bod dynion Asol yn cuddio ac yn barod i neidio amdano, ond doedd neb i'w weld. Dilynodd lwybr oedd yn ymdroelli rhwng y llwyni llwyd nes dod at fryncyn bychan. Arhosodd i gael ei wynt ato. Islaw roedd carreg fawr ac wrth ei hymyl bentwr a ymdebygai i bentwr o botiau pridd. Penderfynodd Myll fynd i ymchwilio. Ymgripiodd yn llechwraidd o lech i lwyn nes oedd o fewn cyrraedd i'r garreg. Ac ie, potiau pridd oedden nhw. Potiau pridd tebyg iawn i rai'r caethbobol. Potiau pridd yr arferent gadw lagyr ynddynt!

Roedd Myll ar ei bedwar rŵan, yn symud yn llechwraidd fel cath at lygoden. Doedd neb o gwmpas. Cydiodd Myll yn y potyn agosaf ato a'i godi i'w drwyn. Daeth arogl cyfarwydd i'w ffroenau. Lagyr! 'Lagyr, myn uffar i!' gwaeddodd yn uchel cyn codi'r potyn i'w geg a gwagio'i hanner ag un llwnc. Un llwnc arall ac roedd y potyn yn wag. Cythrodd am un arall ac un arall, ac erbyn i'r haul coch ddechrau diflannu dros y bryniau porffor roedd Myll yn gorwedd ar y llawr yn chwyrnu cysgu a'r potyn olaf bron yn wag wrth ei ochr.

Breuddwydiai ei fod yn ôl adref yng Nghaernarfon. Roedd wedi cael noson dda yn y clwb rygbi ac wedi dau gibáb, ffrae â phlisman a dwy chwd ar Stryd Llyn roedd wedi cyrraedd adref bron yn ddianaf. Roedd yn gorwedd yn ei wely yn ei stafell a lluniau o Ryan Giggs a Scott Quinnell ar y wal wrth droed y gwely. Gwyddai y byddai ei fam yn ei ddeffro gyda hyn a byddai arogl cinio dydd Sul yn codi fesul gris i'w stafell. Fethodd o erioed fwyta cinio dydd Sul ei fam wedi noson ar y lysh, er iddo unwaith chwydu i'r ddysgl bwdin reis, a hynny, yn anffodus, pan oedd Nain Llanrug yno dros y Sul.

Teimlai ei fam yn ei ysgwyd, ond yn hytrach na chlywed cerydd am roi ei ddillad yn un pentwr blêr ar y llawr, llais anghyfarwydd a glywai. Os anghyfarwydd hefyd. Roedd hwn yn llais annaearol. Llais Asol!

'Mi rydyn ni wedi ei ddal, ddynion,' meddai. 'Oes yna olwg o'r llall?'

Doedd dim. Roedd Bongo'n dal yn y bryniau efo Jiwli. Clymwyd traed a dwylo Myll a'i halio i'r cerbyd brown. Ond nid chwd ar bafin Stryd Llyn a gafodd y tro hwn, ond chwd go iawn ar hyd Asol oedd newydd ymuno ag o yn y cerbyd am y daith yn ôl i'r dref.

Doedd y Nocsus ddim yn rhegi, ond pe bydden nhw, mi fysai Myll yn sicr wedi cael ei gontio.

12

Doedd y Nocsus ddim eisiau bod yn gas a chreulon efo'u hymwelwyr o'r Ddaear, ond doedd Asol ddim yn hoffi'r ffaith fod Myll wedi chwydu hylif llwyd-frown, drewllyd drosto. Doedd y Nocsus chwaith ddim yn rhai i chwerthin ryw lawer, a doedd Asol ddim yn deall pam fod Myll yn gweld y sefyllfa mor ddoniol. Pan gyrhaeddwyd iglw Niblo, llusgwyd Myll allan gerfydd ei sgrepan a'i ollwng ar lawr wrth draed y pennaeth.

'Dyma'r dihiryn,' meddai Asol wrth Niblo.

'JP, helpa fi,' meddai Myll mewn llais gwantan. 'Dwi'n teimlo'n uffernol, ac mae'r peth mawr hyll 'ma wedi bod yn fy hambygio i.'

Doedd dim allai JP ei wneud, dim ond edrych mewn cywilydd ar un o gynrychiolwyr y Ddaear yn gorwedd ar lawr, ei ddwylo wedi'u clymu y tu ôl iddo a'i ŵn porffor yn chŵd i lawr ei blaen. Yn ogystal, câi gryn drafferth i ddeall Myll drwy ei dafod dew.

'Ac mae o wedi . . . wedi meddwi,' meddai Asol gan grychu'i drwyn bwldog.

Ysgydwodd Niblo ei ben. Yna trodd at JP. 'Be wnawn ni ag o?' gofynnodd.

Roedd y cwestiwn hwn wedi cael ei ofyn sawl gwaith am Myll – gan athrawon, plismyn a theulu – ond doedd gan neb ateb. Tro JP oedd hi rŵan. 'Ym . . . 'sa'n well i mi gael gair ag o i ddechrau . . . yna . . . mi geith o ymddiheuro i chi . . . a'r Nocsus . . . i gyd am wneud y fath lanast yma . . .'

Pesychodd Asol.

'Ac . . . am chwydu ar ben Asol.'

Ond doedd Myll yn clywed dim gan iddo syrthio'n ôl i gysgu, a rhochian chwyrnu fuodd o ar lawr iglw Niblo tra oedd ei dynged yn cael ei drafod. 'Caria fo i fy iglw i os gwnei di, Asol?' gofynnodd JP.

Doedd dim yn rhoi mwy o bleser i Asol na chydio unwaith eto yn sgrepan Myll a'i lusgo allan o'r iglw. Llusgwyd o draw i iglw'r Daearwyr. Doedd JP ddim am ei adael i mewn yn chŵd i gyd, felly tynnwyd ei ŵn a'i lusgo'n noethlymun i'w stafell. Taflwyd o ar ei hamoc. Agorwyd y clymau am ei ddwylo cyn clymu bob llaw'n unigol i ochrau'i wely crog. Theimlodd Myll ddim byd gan fod lagyr cry'r caethbobol wedi'i yrru i drwmgwsg.

*   *   *

Doedd JP ddim yn llyfrau da Niblo chwaith. Onid oedd o wedi malu'r chwim-gerbyd ac wedi anafu ei wraig? Penderfynodd fynd i chwilio am Ijiffani i gael gweld sut oedd hi. Roedd Taitas yn sefyll y tu allan i'r iglw.

'Sut mae Myll?' gofynnodd gan edrych yn Nocsaidd-bryderus.

'Iawn. Dydy hyn yn ddim byd newydd iddo. Gadael llonydd iddo ydy'r peth gora, am wn i. Deud i mi, lle gai afal ar Ijiffani?'

'Adra, efo Niblo.'

'Ia, ond mae hi wedi brifo ei thalcen. Mi gaethon ni . . . rhyw ddamwain fach.'

'Mi fysa hi felly yn yr ysbyty.'

'Lle mae hwnnw?'

'Mi ddoi efo chi, i mi gael gweld sut mae hi.'

Dilynodd JP y Nocsan rhwng yr iglws i gyrion y dref. Yno roedd iglw mawr melyn llachar a phelen fawr goch uwch ei ben.

'Dyma'r ysbyty,' meddai Taitas. 'Awn i weld sut mae Ijiffani.'

Roedd rhesiad o wlâu crôg o gwmpas waliau'r iglw, ond mae'n rhaid eu bod nhw'n greaduriaid iach iawn gan mai ond Ijiffani oedd yno. Roedd patsh mawr pinc ar ei thalcen.

'Wyt ti'n iawn? Mi rwyt ti wedi cael plastar ar dy dalcen dwi'n gweld.'

'Plastar?' Edrychodd Ijiffani'n synn arno. 'Croen newydd ydy hwnna. Mi wnaiff o newid ei liw mewn rhyw ddeuddydd ac mi fydd yr un lliw â gweddill fy nghroen.'

'O, dwyt ti ddim gwaeth felly?'

'Na. Dim gwaeth. Ond beth am y chwim-gerbyd?'

'Ma'i sysbension o wedi'i chopio hi a tholc neu ddau yn ei du blaen o. Ond dim byd mawr.'

'Da iawn. Mi fuon ni'n lwcus.'

Nodiodd JP. 'Deud i mi, sut alla i drwsio'r car? Dwi'm yn meddwl bod Niblo'n rhy hoff ein bod ni wedi ei falu.'

'Mi wnaiff y caethferched ei drwsio. Dim ond dweud wrthyn nhw ac mi ddon nhw i'w nôl o.'

'O.' Ffarweliodd JP ag Ijiffani, ac aeth allan a dychwelodd efo Taitas at iglw Niblo. Roedd y chwim-gerbyd wedi ei wthio i ochr yr adeilad. Archwiliodd JP o. Rhwbiodd ei ên, ac yna cerddodd tuag at garej y caethferched.

Roedd JP yn deall rhywbeth am geir ar un adeg. Gan na allai hogia'r dre fforddio'r un car oedd yn ffit i fod ar y ffordd, roedd yn rhaid iddyn nhw wneud y gwaith cynnal a chadw eu hunain.

'Oes yna jans am gael benthyg chydig o dŵls?' gofynnodd i ferch oedd yn gorwedd dan gar pinc.

Llusgodd allan gan geisio rhwbio'r olew oddi ar ei chorff noeth. 'Wrth gwrs, syr. Dewch efo mi.' Ac arweiniwyd JP i'r storfa. Roedd gwell dewis o gelfi yma na storfa Len Alc yn Oto-palas erstalwm. Dewisodd JP beth oedd eisiau.

'A gaf i eich helpu gyda'r orchwyl?' gofynnodd y gaethferch.

'Mi fedrwn i wneud efo chydig o help,' atebodd JP ac eglurodd mai eisiau trwsio'r chwim-gerbyd oedd o.

Dilynodd y gaethferch o drwy'r dref gan gario'r celfi ar ei chefn.

Deunydd fel plastig meddal oedd corff y car a bu'r ddau fawr o dro'n ei wthio'n ôl i siâp. Oddi tan y car gafodd hi waethaf. Roedd gwaith waldio i'w wneud yn fan'no. Cododd y gaethferch flaen y chwim-gerbyd tra gwthiodd JP garreg oddi tano. Aeth ar ei liniau a gwelodd y difrod. Gorweddodd ar ei gefn o dan y car.

'Estynna'r mwrthwl lwmp i mi, del?' gofynnodd.

Ond nid estyn y morthwyl wnaeth y gaethferch ond dod â fo i JP. Gwthiodd o dan y car a chan nad oedd fawr o le yno roedd ei chorff yn dynn yn un y Daearwr.

Llyncodd ei boer. 'D . . . dal d . . . di'r . . . darn yna i mi g . . . gael ei waldio,' gorchmynnodd ond prin fod ganddo nerth i godi'r morthwyl.

Gwelodd y gaethferch fod JP yn chwysu chwartiau. 'Mi wna i ei waldio os gwnewch chi ei ddal yn ei le,' meddai gan wthio ei chorff tuag at JP nes oedd un o'i bronnau'n ei wyneb. Roedd JP wedi ymddwyn yn weddus iawn hyd yma. Roedd wedi cadw at reolau'r Nocsus. Ond roedd hyn yn ormod o demtasiwn i unrhyw ddyn. Cythrodd ynddi a phlannodd ei geg i'w bron. Cydiodd hithau'n dynn ynddo. Doedd yna fawr o le i'r ddau dan y cerbyd, ond roedd yna ddigon i JP allu rhwygo ei wisg oddi amdano a gorwedd ar y gaethferch. Gwasgodd hi'n dynn a dechreuodd ei chusanu fel dyn na chafodd ddynes ers misoedd, ac yn wir doedd o ddim. Roedd Connie a Dee-dee a'r merched eraill wedi mynd i gyd yn angof, yn wir roedd wedi anghofio am bopeth ond y gaethferch oddi tano . . . nes clywodd lais.

'JP, eich traed chi yw'r rhain?' A theimlodd rhywun yn rhoi cic i'w goesau.

Gwthiodd y gaethferch i un ochr a gwthiodd ei ben i'r cyfeiriad arall. 'Edrych ar y difrod ydw i, Niblo. Dydy o fawr gwaeth. Mae ei du blaen o wedi'i drwsio, ac rydw i wrthi'n gwneud oddi tano rŵan.'

'Gadewch i'r caethferched wneud. Maen nhw'n rhai da efo'u dwylo.'

'Ydyn . . . ydyn, maen nhw . . . '

Fu JP fawr o dro'n cael y darnau o dan y car i'w lle. Doedd fiw iddo fynd i'r afael â'r gaethferch eto a Niblo yn eistedd lathen neu ddwy oddi wrtho. Sleifiodd y gaethferch allan un pen ac, wedi iddo wneud ei hun yn weddus, aeth JP allan y pen arall.

'Dyna chi, Niblo, mae o fel newydd.'

'Ydy. Ond beth yw'r lwmp yna yn eich trwsus?'

Edrychodd JP. Oni ddylai'r cledda fod wedi mynd i lawr erbyn hyn? Shit! Roedd y gaethferch wedi gadael ei morthwyl lwmp ar ôl.

* * *

Pan ddychwelodd Bongo efo Jiwli doedd dim golwg o Myll. Aeth y ddau i chwilio amdano a chael hyd i'r potiau lagyr gwag. Doedd Bongo ddim yn bryderus. Onid oedd Myll wedi mynd ar goll sawl tro ar ôl cael diod? Ond roedd dwy gaethferch oedd wedi dod efo nhw'n bur siomedig nad oedd Myll yno. Roedd Cedoro, hefyd, yn siomedig o weld y potiau gwag. Ysgydwai ei ben wrth feddwl am orfod disgwyl am ragor o lagyr.

'Ble mae Myll wedi mynd?' gofynnodd un o'r caethferched.

'Ffyc-nos,' atebodd Bongo ac yntau'n gorwedd dan Jiwli.

'Efallai bod Asol wedi ei ddal.'

Ond allai Bongo ddim rhoi rhagor o eglurhad gan fod gwefusau gwlybion Jiwli'n gwthio i'w rai o. Roedd Cedoro wedi mynd i lawr y bryn rhag ofn bod rhyfaint o botiau lagyr llawn i'w canfod. Ond doedd dim, ond mi roedd yna ôl cerbyd yn y gwair. 'Bongo!' gwaeddodd wrth redeg i fyny'r bryn. 'Bongo! Dwi'n siŵr bod Asol wedi dal Myll. Mae yna ôl cerbyd yn fan'na!'

Ond doedd Bongo ddim eisiau gwybod; onid oedd Jiwli

unwaith eto ar ei gefn? Nid felly'r caethferched. 'Gawn ni fynd i achub Myll?' gofynnodd un.

'Na chawn wir!' atebodd Cedoro, 'neu mi fydd Asol a'i ddynion yn dial arnom a fydd bywyd ddim gwerth ei fyw.' Ond edrych yn hiraethus tuag at y dref wnaeth y merched.

* * *

Doedd gan Myll ddim syniad pam ei fod wedi'i glymu i'w wely pan ddeffrôdd. Onid oedd hyn wedi digwydd i Ned Neidar pan aeth o i Amsterdam erstalwm? Roedd o wedi deffro'n noeth, yn sownd yn y gwely a'r ferch a'i waled wedi diflannu. Oedd yna ferched felly ar Delta Equinox? Ond doedd ganddo ddim waled i'w dwyn.

Roedd JP wedi'i glywed yn stwyrian a daeth i'r stafell. 'JP! Be sydd wedi digwydd i mi?'

'Nest ti feddwi a chwydu ar ben Asol.'

Dechreuodd Myll chwerthin. Gwylltiodd JP. 'Dydy o ddim yn fater i chwerthin. Mi rydan ni i gyd yn y cachu! Ffycd! Ffinishd! A hynny am nad wyt ti a Bongo'n gwybod sut i fyhafio. 'Sa'n well 'swn i wedi dod yma ar ben fy hun.'

'Ond pwy glymodd fi i'r gwely 'ma?'

'Asol. Wyt ti'm yn cofio ei fod o wedi dy ddal di ar ôl i ti ddengid o'r Twll Du?'

Daeth pethau'n ôl yn raddol i ben doluriedig Myll. 'Agor y clyma 'ma, plîs, JP, ac estyn ddiod o ddŵr i mi. Ma' 'ngheg i fel cesal arth . . . 'ta fel cesal bolocs ddylwn i ddeud?' A dechreuodd chwerthin unwaith eto

'No-wê,' meddai JP. 'Mi rwyt ti'n sdyc yn fan'na nes wyt ti'n addo byhafio.'

'Ond dwisio piso. Os na nei di agor y clyma 'ma, mi fydd raid i mi biso'n fy ngwely.' A doedd hynny ddim yn beth diarth iddo, nid ar y Ddaear beth bynnag.

Estynnodd JP bot bridd tuag ato. 'Sdicia dy goc yn hwn,' gorchmynnodd.

'Ga i eich helpu?' gofynnodd llais o'r cefn. Taitas oedd yno, a chydiodd yng nghoc Myll a'i gosod yn daclus yn y pot. 'Dyna ti, Myll.'

'Alla i ddim piso a chi'ch dau'n fy watshad i.'

'Pam?' gofynnodd Taitas mewn cryn benbleth.

'Tyrd, dwisio gair efo chdi,' meddai JP gan gydio ym mraich Taitas a'i thywys i stafell arall.

Tra oedd Myll yn llenwi'r pot, eglurodd JP y sefyllfa. 'Yli, mae gynno'r tri ohonon ni broblem. Mae Myll a Bongo wedi bod yn cambyhafio yma. Os na wnaiff pethau wella . . . wel dwn i ddim be wnaiff ddigwydd. Un ai'r Twll Du, ein gyrru'n ôl i'r Ddaear neu . . . '

Sylwodd Taitas ar ddifrifoldeb y sefyllfa. Beth bynnag fyddai eu tynged, châi hi ddim gweld Myll a'i goc byth eto. 'Mi wna i gael gair ag o, a'i gael i addo ymddwyn yn briodol o hyn allan.'

'Diolch, 'ngenath i,' meddai JP gyda chryn bwysau wedi codi oddi ar ei ysgwyddau. Pe bai Taitas yn cael trefn ar Myll, efallai y gallai o gael gair â Bongo. Dychwelodd Taitas at Myll. Roedd y pot yn hanner llawn. Rhoddodd o ar y llawr ger yr hamoc cyn cydio 'nghoc Myll.

'Esu, dyro'r gora iddi,' meddai llais o'r cefn. JP oedd yno wedi dod i weld sut hwyl oedd Taitas yn ei gael ar geisio'i berswadio. 'Mae o mewn digon o drafferth yn barod.'

'Ond mae o'n hoffi hyn, Jê-Pî.'

'Ella wir, ond 'dio'n gneud dim lles iddo.' Roedd Myll yn falch fod JP wedi cyrraedd. Doedd ei dwlsyn yn dal ddim fel y dylai fod ar ôl y caethferched. 'Wel, wyt ti wedi deud be 'di be wrtho fo?'

'O, Myll. Mae Jê-Pî eisiau i ti ymddwyn yn weddus o hyn allan . . . '

'Mae isio bod yn llawer caletach na hynna, Taitas.' Camddeallodd y Nocsan a dechreuodd halio'n galetach.

Gwaeddodd Myll mewn poen. 'Dyro'r gorau iddi, myn uffar i!'

'Eisiau pwysleisio'n galetach faint o drafferth mae Myll ynddo sydd angen, Taitas, a'i rybuddio os na wnaiff o fyhafio na weli di byth mohono eto.'

Doedd hi fawr o ots gan Myll pe na bai'n gweld yr un Nocsan byth eto, na merch o ran hynny. Roedd o wedi cael digon arnyn nhw. Roedd o eisiau bywyd tawel, digynnwrf. Cyfle i eistedd i lawr efo peint neu ddau . . . neu dri . . . a 'chydig o falu cachu efo'r hogia . . .

'Ie, Myll. Mae'n rhaid i ti fod ar dy orau o hyn allan. Neu'r Twll Du fydd hi . . . neu . . . neu . . . hyd yn oed cael dy daflu i'r bolocs i dy fwyta . . . '

Doedd cael ei fwyta gan folocs ddim yn apelio at Myll, ac felly addawodd y byddai'n cadw allan o drafferth am weddill ei arhosiad ar Delta Equinox. Wedi datod y clymau, aeth JP i weld Niblo gyda'r newyddion da bod Myll ar ei orau o hyn allan. Pe byddai o'n cael trefn ar Bongo yna mi fyddai gobeithion y tri'n llawer gwell.

Gwisgodd Myll ŵn pinc oedd wedi ei gosod wrth droed ei hamoc. 'Myyyll,' meddai Taitas. Chymerodd Myll ddim sylw ohoni gan ei fod yn stryffaglio efo'r sgidiau glas plastig. 'Mae Ijiffani yn dweud ei bod wrth ei bodd yn cael mynd am dro yn y chwim-gerbyd . . . Ei di â fi am dro ynddo?'

'Niblo sy bia fo,' meddai Myll.

Doedd hynny'n golygu dim i Taitas. 'Beth am fynd rŵan?' meddai â'i llaw ar ei din.

Teimlai Myll mai gwell fyddai iddo frysio o'r stafell neu byddai Taitas â'i llaw ar ei dwlsyn unwaith eto. Onid oedd JP wedi ceisio egluro unwaith nad oedd neb yn berchen dim ar Delta Equinox? Fod pawb yn berchen ar bopeth?

'Iawn 'ta, tyrd, awn ni rŵan,' meddai a'i hanelu am iglw Niblo lle'r oedd y chwim-gerbyd wedi'i barcio.

Doedd Myll erioed wedi pasio ei brawf gyrru; yn wir doedd o erioed wedi rhoi cynnig arni. Ond doedd hyn ddim yn ei atal rhag gyrru ambell gar o gwmpas Caernarfon. Roedd hyd yn oed wedi gyrru sborts-car Co Cohen. Mab i ddyn busnes o

Iddew o'r dref oedd Co Cohen, neu Isaac i roi ei enw cywir iddo. Helpu ei dad i gadw golwg ar ei wahanol fusnesau a wnâi Isaac ond un tro roedd wedi brifo'i droed. Waled ei dad wedi disgyn arni, yn ôl Bongo, ac oherwydd hynny allai o ddim gyrru'r Marcos.

Roedd Co Cohen yn uffar am ferched a'r rheiny â diddordeb mawr ynddo yntau. Yn bennaf oherwydd ei gar a'i bres ond hefyd doedd ei goc ddim yr un fath â rhai hogia'r dref. Beth bynnag, roedd Co Cohen wedi trefnu i fynd i weld merch o Nebo. Doedd hi ddim yn gweddu iddo fynd yno efo bws, felly dyma ofyn i Myll yrru'r Marcos. Gyrrodd Myll yn ofalus i fyny'r ffordd gul, droellog i Nebo ac at dŷ Jane Cris. Roedd Jane yn ei ffrog goch yn pwyso ar wal y tu allan i'w chartref pan gyrhaeddodd y ddau. Camodd y ddau allan o'r Marcos ond er fod Co Cohen yn cydio yn llaw Jane, Myll a gâi ei holl sylw.

Tynnodd Co Cohen bapur pumpunt o'i boced a'i roi i Myll. 'Dos am beint a thyrd yn ôl mewn dwyawr.' Disgynnodd gwep Jane Cris, ond roedd Myll yn fwy na bodlon. Roedd ganddo bres peint a sborts-car melyn. Penderfynodd fynd draw am Borthmadog i gael gweld faint âi'r car. O gwmpas Dolbenmaen, roedd nodwydd y Marcos melyn yn cyrraedd cant a hanner a rhai eiliadau'n ddiweddarach roedd yn parcio'r car y tu allan i'r *Awstralia* lle'r oedd rhesaid o ferched yn ei edmygu.

'Car neis, del,' meddai un benfelen.

'Ocê, pwy sydd isio reid?' gofynnodd Myll, a chamodd pob un i'w gyfeiriad gan wthio'u cyrff tuag ato. Dewisodd un oedd â gwallt a chorff fel Marilyn Monroe a chydiodd yn ei llaw. 'Dwisio peint gynta,' meddai a'i thywys at y bar. 'Be tisio i yfad?' gofynnodd. Coctels oedd yn mynd â bryd Mandy, a phrin fod yna newid o bumpunt Co Cohen wedi iddo ei diwallu hi a chael peint iddo'i hun. Doedd gan Myll ddim rhagor o arian i brynu diod a doedd dim golwg y byddai'r un o'r merched yn cynnig prynu un iddo, felly, gan fod Mandy'n gofyn yn daer am gael mynd yn y Marcos, dyma ei thywys allan o'r dafarn ac i'r car melyn.

Gorweddodd Mandy'n ôl yn y sedd ledr tra taniodd Myll yr injan. 'Lle tisio mynd?' gofynnodd.

'Cwm Pennant,' meddai Mandy. 'Maen nhw'n deud bod o'n lle romantic.'

Unwaith eto, mentrodd y Marcos tuag at y cant a hanner gyda Mandy'n mwynhau pob eiliad. 'Myll, roedd . . . roedd hwnna'n ffan-tastig! Ffan-tastig!' meddai wrth geisio cael ei gwynt yn ôl a'r car yn arafu er mwyn troi am Gwm Pennant. Ond un peth oedd cadw'r car cyflym ar y ffordd unionsyth o Borthmadog, peth arall oedd ei reoli ar lonydd culion Cwm Pennant. Roedd llygaid Mandy wedi'u cau. 'Yn gynt, yn gynt . . .' sibrydai rhwng ei dannedd. Gwthiai Myll ar y sbardun gan gydio'n dynn yn y llyw. Codai cerrig mân i'r awyr wrth i deiars y Marcos daro'r ochrau. 'Mwy . . . mwy,' ochneidiai Mandy gan wingo yn ei sedd. Tarodd Myll gipolwg tuag at Mandy ond yna tarodd y Marcos glawdd. Trodd y car ar ei ochr gyda Mandy'n sgrechian nerth esgyrn ei phen.

'B . . . b . . . blydi hel! Ma' car Co Cohen yn racs!' meddai Myll, ond chafodd o fawr o amser i ystyried ei sefyllfa.

'Helpa fi allan, y basdad!' meddai Mandy wrth geisio stryffaglio o'r car.

Bu raid gadael y Marcos ar ochr y ffordd yn arwain i Gwm Pennant tra bu raid i Myll a Mandy gerdded i'r ffordd fawr i ddal bws. Cafodd Mandy fws i'r Port tra aeth Myll i'r cyfeiriad arall. A bws fu raid i Co Cohen gael adref y noson honno, hefyd.

Roedd Taitas hithau, hefyd, yn gorwedd yn ôl yn sedd y chwim-gerbyd, ond doedd hi ddim patsh ar Mandy. Edrychodd Myll ar y paneli o'i flaen. Roedd sawl botwm yno. Pwysodd bob un nes clywed sŵn o dan y fonet o'i flaen. 'Dyna ni,' meddai Taitas. 'Mi allwn ni fynd rŵan.' Pwysodd Myll ei droed yn ysgafn ar y sbardun a chychwynnodd y car yn araf.

Roedd JP efo Niblo ar y pryd. Eglurodd fel roedd Myll wedi addo bod ar ei orau dros weddill ei ymweliad â Delta Equinox ond doedd Niblo ddim wedi ei lwyr argyhoeddi. 'Beth sy'n mynd i'w atal o rhag lledaenu ei arferion drwg?' gofynnodd Niblo.

'Mi wnes i fygwth y byddai'r bolocs yn ei fwyta,' meddai JP.

'Ydy hynny'n ddigon? Dydy hyd yn oed y Twll Du ddim wedi'i ddychryn. A beth am Bongo?'

'Ia, mae hwnnw'n fwy o broblem. Ond mi gawn ni afael ynddo . . . rywbryd . . . hyd yn oed os bydd raid i mi fynd i chwilio amdano fy hun.'

'Byddai hynna'n eitha syniad, Jê-Pî,' meddai Niblo gan edrych allan drwy'r drws. 'Eitha syniad . . . ' Ond diflannodd Bongo o'i feddwl wrth iddo weld ei chwim-gerbyd yn gadael ei fan parcio ger ei iglw. Ac roedd rhywun tebyg iawn i Myll wrth y llyw.

'Jê-Pî! Jê-Pî! Mae . . . mae Myll wedi cymryd y chwim-gerbyd!' Brasgamodd Niblo am y drws. 'Stopiwch o! Stopiwch o!' Ond roedd Myll wedi cyrraedd cyrion y dref erbyn i JP gyrraedd at Niblo. 'Mae o wedi camymddwyn unwaith eto, Jê-Pî!'

'Ond Niblo, roeddwn i ar ddeall fod gan bawb hawl i bopeth yma. Nad oedd neb yn berchen ar ddim.'

'Ie, ond . . . ' Doedd gan Niblo ddim ateb. Roedd o wedi dod i gredu mai ei gerbyd o oedd y chwim-gerbyd. Roedd JP wedi cyflwyno perchnogaeth i Delta Equinox!

'Mi awn ar ei ôl o yn y cerbyd pinc,' meddai JP.

* * *

'Mi wyt ti'n colli Myll yn dwyt?' meddai Jiwli gan fwytho cefn Bongo. Wnaeth o ddim ateb ond roedd y distawrwydd yn ddigon i gadarnhau ofnau'r gaethferch. 'Mae'r merched yn ei golli hefyd,' ychwanegodd. Ond parhau i syllu tua'r dref a wnâi Bongo. Wnaeth o erioed feddwl y byddai'n colli cwmni Myll. Myll oedd wedi'i wylltio gymaint o weithiau am wneud pethau mor wirion, pethau fyddai byth a beunydd yn eu harwain i drafferthion. Ei golli ac yntau yng nghwmni'r ferch brydferthaf a welodd o erioed, yn wir dwsinau os nad cannoedd ohonyn nhw. Ond ar Myll roedd ei feddyliau ar y pryd.

'Mae'r merched wedi bod yn sôn am geisio ei gipio oddi wrth Asol a'i ddynion.'

''Sa'n well iddyn nhw beidio neu mi fyddan nhw mewn dipyn o drwbwl, a beth bynnag, bai Myll ydy o ei fod o'n y fath lanast.'

Roedd Bongo'n dechrau hiraethu am Gaernarfon. Er cymaint roedd o'n hoffi Jiwli a'i chorff, roedd yna ben draw ar gael rhyw bob munud o'r dydd. Hiraethai am gael stagro o dafarn i dafarn yn y dre a llygadu'r talent – os talent hefyd – cyn dewis y ddelaf a'i herio i roi ei llaw i lawr ei drwsus. Doedd hyn ddim yn gweithio bob tro, yn wir prin yr oedd yn gweithio o gwbwl, ond o leiaf roedd yn ffordd o ddechrau sgwrs ac efallai cael bachiad cyn stop tap. A phe byddai ganddi fflat gyfagos neu bod ei rhieni wedi mynd i ffwrdd am y penwythnos, gorau'n y byd.

Roedd rhywbeth i'w ddweud, hefyd, am law oer yn chwipio o'r môr ar draws y Maes. Chafwyd dim glaw ers iddo gyrraedd Delta Equinox ac roedd wedi hen alaru gweld yr haul coch uwchben, ddydd ar ôl dydd.

Tybed allai o gipio Myll o grafangau Asol ac i'r tri ohonyn nhw ei g'leuo hi am y llong-ofod a dychwelyd i'r Ddaear? Doedd neb wedi sôn am faint roedden nhw i aros ar Delta Equinox. Penderfynodd y byddai'n ceisio cael gair â JP.

*   *   *

Roedd Myll yn gyrru'r chwim-gerbyd yn hamddenol rhwng y bryniau porffor. Gorweddai Taitas wrth ei ochr yn canu grwnd fel cath wrth i'r haul coch daro drwy ei gwallt du pigog gan daflu smotiau o olau drwy'r cerbyd. 'Ti'n licio'r car? gofynnodd Myll.

'Ydw, ond dwisio chdi fynd yn gyflymach.' Ond cofiai Myll am brofiad y Marcos a doedd o ddim yn siŵr beth fyddai adwaith Niblo wedi iddo gymryd y car. Yn sicr fyddai o ddim yn hapus pe byddai'n cael damwain ynddo fo. Pwysodd fymryn mwy ar y sbardun. 'Dyna welliant,' meddai Taitas. ''Chydig bach mwy eto.'

Tynnodd Myll ei lygaid oddi ar y llwybr o'i flaen ac edrych yn y drych. Roedd cwmwl o lwch i'w weld yn y pellter. Dychwelodd ei olygon i'r llwybr o'i flaen a Taitas yn dal i ofyn iddo bwyso'n galetach ar y sbardun. Roedd darn hir, gwastad o'i flaen, heb na choeden na chraig yn agos ato. Pwysodd y sbardun a chlywodd Taitas yn rhoi gwich o gyffro. Pan ddaeth i ddiwedd y darn gwastad arafodd ond cyn troi y tu ôl i fryn arall edrychodd unwaith eto yn y drych. Roedd y cwmwl llwch yn dal yno. Dringodd y cerbyd yn araf gan ddilyn rhyw fath o lwybr i fyny ochr y bryn. 'Arhosa,' meddai Taitas. 'Yli'r rhaeadr yna. 'Dydio'n hyfryd?'

Edrychodd Myll i'w chwith ac yno roedd rhaeadr o ddŵr melyn yn disgyn yn wyllt i lawr ochr craig. 'Mae o'n debyg iawn i biso,' atebodd Myll cyn dychwelyd ei droed i'r sbardun.

Roedd y cwmwl llwch yn dal i'w ddilyn; os rhywbeth roedd yn nesáu. Parhaodd y chwim-gerbyd i ddringo'r allt i ben y bryn. Erbyn cyrraedd y copa, roedd y cerbyd pinc i'w weld yn y pellter y tu ôl iddyn nhw. 'Taitas, mae 'na gar y tu ôl i ni. Ydy o'n ein dilyn ni, 'ta?'

Trodd Taitas ei phen yn ôl. 'Niblo ydy o, Myll. Ydw, rydw i'n credu ei fod yn ein dilyn ni. Ysgwn i beth mae o eisiau?'

Roedd gan Myll ryw hen deimlad nad oedd Niblo'n rhy hapus ei fod o wedi cymryd ei chwim-gerbyd, yn arbennig gan na ofynnodd iddo am ganiatâd. Penderfynodd mai'r peth gorau fyddai ceisio diflannu a phlannodd ei droed ar y sbardun gan wneud i'r cerbyd neidio yn ei flaen. 'Www . . . ,' meddai Taitas. 'Mi wnes i fwynhau hynna!'

Chwyrlïodd y chwim-gerbyd o gornel i gornel wrth iddo ddisgyn o gopa'r bryn. Cydiai Taitas yn dynn yn ei sedd a gwên lydan ar ei hwyneb. Roedd y canu grwndi'n uwch, yn boddi sŵn y gwynt ar y to. Llyw ysgafn oedd i'r chwim-gerbyd a châi Myll hi'n weddol hawdd i'w gael o gornel i gornel. Taflai gipolwg i'r drych bob hyn a hyn ac roedd y cwlwm llwch a Niblo'n ymbellhau. Roedd erbyn hyn wedi cyrraedd y gwastadeddau a llain hir o dir o'i flaen. Penderfynodd y byddai'n ceisio cyrraedd cyflymder uchaf y cerbyd ac roedd ei droed yn gwthio i'r llawr pan redodd teulu o folocs gwyllt yn syth ar draws ei lwybr.

''Cin-el!' oedd y gair olaf glywodd Taitas cyn i'r cerbyd godi i'r awyr.

'Whiiiii . . . !' gwaeddodd wrth iddi deimlo'r cerbyd yn codi, ond doedd dim smic oddi wrthi wrth i'r car droi drosodd a glanio ar ei do gan wasgu tri bolocs bychan i'w marwolaeth.

Roedd y ddau'n anymwybodol pan gyrhaeddodd Niblo a JP. Ond doedd Niblo'n poeni dim am y ddau. 'Fy chwim-gerbyd! Fy chwim-gerbyd!' ochneidiai gan ddal ei ben yn ei ddwylo. Roedd JP wedi dechrau tynnu Myll allan o weddillion y cerbyd. Brasgamodd Niblo tuag ato, ond yn hytrach na rhoi help llaw, cododd ei goes a rhoddodd gic anferth i Myll yn ei 'sennau. 'Y basdad!' meddai. Gair yn amlwg roedd wedi ei ddysgu oddi wrth y Daearwyr.

13

Roedd y chwim-gerbyd yn ddarnau mân a Niblo'n syllu arno
â'i ddwylo'n dynn am ei ben. 'Fy chwim-gerbyd . . . yn rhacs!
Yr unig chwim-gerbyd ar Delta Equinox. A fi oedd pia fo!'
Roedd Myll yn eistedd ar y llawr yn syllu i'r unfan gyda sêr
dychmygol yn hedfan o gwmpas ei ben.

Llusgodd Taitas ei hun allan o weddillion y cerbyd. 'Roedd
hwnna . . . yn wych, Myll, yn wych . . . !' meddai cyn disgyn fel
lleden wrth draed Niblo.

'Rhag eich cywilydd! Y ddau ohonoch. Mi fyddwch yn y
Twll Du am byth wedi hyn!'

Roedd cerbyd arall wedi cyrraedd. Ynddo roedd Asol a rhai
o'i ddynion. 'Ewch â nhw i'r Twll Du, Asol,' gorchmynnodd
Niblo. Erbyn hyn, tro JP oedd hi i ddal ei ben yn ei ddwylo.

'Mae'n amlwg bod Myll y tu hwnt i bob rheolaeth,' meddai
Niblo ar ôl troi ei sylw at JP, ond doedd gan JP ddim i'w
ddweud, dim ond edrych ar wyneb Myll yn pwyso yn erbyn
gwydr y cerbyd brown gydag un o ddynion Asol yn cydio'n
dynn yn ei wallt.

Wnaeth y cerbyd ddim trafferthu mynd i'r dref ond aeth yn
syth at y Twll Du ar y cyrion. Tynnwyd y bariau haearn oedd
ar draws y twll a thaflwyd y ddau i mewn. Clymwyd y bolocs
ffyrnicaf oedd gan y Nocsus wrth bolyn cyfagos fel bod ei
drwyn o fewn rhai modfeddi i'r bariau. Roedd pethau'n edrych
yn ddu ar y ddau.

Yn y cyfamser, galwyd ar y caethferched i ddod i nôl
gweddillion y chwim-gerbyd a mynd ag o'n ôl i'r ffatri i edrych
a ellid ei roi yn ôl wrth ei gilydd. Ysgwyd ei phen wnaeth yr

hen gaethferch pan welodd beth oedd yn weddill. Fu i Niblo erioed deimlo mor agos at unrhyw beth nac unrhyw un nag at y chwim-gerbyd. Onid hwn oedd yr unig un ar y blaned? A rŵan roedd o'n rhacs!

Allai JP ddim edrych ar y car. Onid oedd o wedi gobeithio ennill ffafrau gan y Nocsus drwy greu galw am y cerbyd? Onid oedd o'n bwriadu cyflwyno cyfalafiaeth i Delta Equinox? Roedd ei gynlluniau'n deilchion – fel y chwim-gerbyd. Penderfynodd beidio teithio'n ôl i'r dref efo Niblo, ond cerddodd yn ôl fel y câi gyfle i feddwl. Meddwl beth fyddai eu tynged ar y blaned bell wnaeth o. Oni ddylen nhw feddwl am fynd adref er na fyddai fawr o groeso iddo'n fan'no chwaith gyda'r FBI a gwŷr y cesys ffidil yn disgwyl amdano? Ond beth petai Niblo'n gwrthod gadael i'r tri fynd adref? Beth petai o eisiau cosbi Myll a Bongo am achosi'r fath anhrefn ar ei blaned? Allai o byth lywio'r llong ofod ei hun yn ôl i'r Ddaear. Byddai'r tri yma am byth!

Roedd Ijiffani'n disgwyl amdano pan gyrhaeddodd y dref. 'Mi rwyt ti'n edrych yn drist, Jê-Pî,' meddai. 'Trist wyt ti am fod y chwim-gerbyd wedi ei falu?' gofynnodd.

Nodiodd JP. Doedd o ddim eisiau brifo ei theimladau drwy ddweud mai eisiau mynd adref i'r Ddaear roedd o. 'Mi allwn ni gael un arall gan y caethferched,' meddai gan geisio codi ei galon.

'Gallwn, ma'n siŵr,' atebodd gan edrych tua'r awyr fel petai'n gobeithio gweld y Ddaear. Ond mi roedd honno filoedd ar filoedd ar filoedd o filltiroedd i ffwrdd.

Cydiodd Ijiffani yn ei law. 'Tyrd, mi awn am dro i'r ardd. Mi gawn siarad yn fan'no.' Ac arweiniodd hi o i lawr at y llyn. Ond ddywedodd Ijiffani fawr ddim, dim ond tynnu trwsus JP i'r llawr a dechrau ei halio. Phrotestiodd JP ddim. Doedd uffar o ots ganddo os câi ei ddal. Efallai y gwnâi Niblo ei hel adref am iddo adael i Ijiffani chwarae â'i goc. Neu efallai y byddai'n ei thorri i ffwrdd . . .

'Esu, well i ti beidio,' meddai gan edrych o'i gwmpas.

'Fydda Niblo ddim yn licio dy weld ti'n gneud hynna.'

'Pam?' gofynnodd unwaith eto. Ond roedd JP wedi blino ceisio egluro.

'Be 'sa fo'n ei thorri i ffwrdd a'i chadw iddo fo'i hun?'

'Mi rydw i'n siŵr y cawn i chwarae efo hi gan Niblo,' meddai. Doedd yna ddim cydymdeimlad i'w gael. Y goc oedd hi'n licio, nid y dyn oedd yn sownd wrthi. Roedd hynny'n rywfaint o ryddhad.

* * *

Roedd y ffaith bod Bongo'n rhydd yn poeni Asol. Doedd neb ar wyneb Delta Equinox wedi gallu gwneud ffŵl ohono fo hyd yma. Gorweddai yn ei wely plastig ganol nos yn meddwl am ddulliau i'w ddal. Methai â chysgu ac yn aml byddai'r ddwy leuad werdd wedi diflannu dros y gorwel ac yntau heb gysgu winc. Gwnâi hyn Asol yn fwy blin nac arfer.

Un bore, dringodd gyda'i hoff folocs i ben y bryn porffor agosaf a chwiliai ei lygaid weddill y bryniau. Gwelai ambell gaethferch yn dychwelyd i'r dref i weithio i'w meistri ond dim byd yn debyg i Bongo. Gwyddai mai merched a lagyr oedd ei ddiddordebau ond roedd ceisio'i ddenu gyda'r rheiny wedi methu.

Roedd wedi blino crafu ei ysgwydd wrth geisio darganfod dull o'i ddal. Roedd wedi blino, hefyd, ar eistedd ar y bryn porffor gan fod y tri boch ar ei din yn dechrau brifo. Roedd y bolocs, hefyd, yn dechrau aflonyddu. Penderfynodd y ddau fynd am dro. Nesaodd y ddau at nant fechan a'i dŵr croyw, melyn yn disgyn dros y cerrig porffor. Yno roedd caethferch yn ymolchi. Arhosodd y ddau i'w gwylio. Er nad oedd gan y ferch ddim amdani, doedd Asol yn cynhyrfu dim.

Nid felly'r bolocs. Roedd gan hwnnw fin fel byffalo ac yn tynnu ar y tennyn a ddaliai Asol. Gwyddai Asol fod y bolocs fel y Daearwyr yn hoff o'r caethferched a phenderfynodd mai gwell fyddai dychwelyd am y dref neu mi fyddai ei folocs ar

133

gefn y gaethferch ac yntau'n gorfod disgwyl iddo gael ei fodloni.

Ychydig a wyddai Asol fod Bongo'n agos ato. Roedd Bongo wedi gweld y Nocsun milain ac wedi cadw'n ddigon pell. Roedd o wedi dianc o'r chwarel er mwyn cael llonydd oddi wrth Jiwli a'r caethferched eraill. Gorweddai yn y brwgaets brown gan daro golwg bob hyn a hyn i wneud yn siŵr nad oedd Asol a'i folocs yn nesáu. O'r diwedd, gwelodd y ddau'n brysio'n ôl am y dref a daeth allan o'i guddfan. Roedd ei feddwl ar dref Caernarfon ac yntau'n camu'n araf rhwng y cerrig oedd yn llenwi'r llawr dan ei draed. Meddyliai am y Blac, y clwb rygbi, peint . . . peintiau o lagyr oer, malu cachu efo Myll a'i ffrindiau . . .

Fel y nesâi at nant fechan, clywodd sŵn sgrechian. Sgrechian merch. Mae'n wir y gallai Bongo fod yn galon-galed lle'r oedd merched yn y cwestiwn. Fel arfer, doedden nhw'n dda i ddim ond am un peth. A phan fydden nhw'n sgrechian, fo fyddai'n gyfrifol am hynny fel arfer. Ond roedd hwn yn sgrechian gwahanol. Sgrechian ofn – nid sgrechian pleser. Brysiodd i gyfeiriad y sŵn. Erbyn iddo gyrraedd y nant, roedd sŵn mewian blin i'w glywed. Edrychodd o'i gwmpas; doedd dim i'w weld ond carreg fawr. Yn araf, aeth y tu ôl iddi ac yno roedd bolocs gwyllt, anferth â darn fel coes caib ganddo wedi cornelu caethferch noeth.

Llyfai'r bolocs ei weflau wrth feddwl am y wledd o'i flaen. Roedd yn sefyll ar ei ddwy droed ôl erbyn hyn a'i gwd fel picell marchog yn gwthio allan o'i flaen. Safai'r gaethferch wedi'i rhewi yn ei hunfan. 'B . . . B . . . Bongo . . . ' meddai. 'H . . . h . . . help . . . ' ac yna llithrodd mewn llewyg i'r llawr.

Trodd y bolocs ei ben hyll am yn ôl a gwelodd Bongo. Gwelodd gystadleuydd. Onid oedd Bongo ar yr un trywydd ag yntau? Gwyddai y byddai'n rhaid iddo gael gwared â'r Daearddyn cyn y câi'r gaethferch iddo'i hun. Trodd i wynebu Bongo. Syrthiodd ei gwd yn llipa rhwng ei goesau ond gwthiodd ei bawennau llawn ewinedd am allan. Rhoddodd wich a lanwodd y dyffryn cyn neidio at Bongo.

Teimlodd hwnnw ewinedd y creadur yn ei 'sennau a'i wynt poeth ag arogl pennog picl arno'n llenwi'i ffroenau. Gwyddai Bongo fod ei fywyd mewn cryn beryg. Yn reddfol, cododd ei ben-glin i ganol coesau ei wrthwynebydd. Dyna a wnâi adref yn 'dre. Ond doedd dim rhwng coesau'r bolocs, serch ei enw. Âi'r ewinedd yn ddyfnach i'w 'sennau a dechreuodd gwaed redeg i lawr ei ochrau.

Roedd safn y bolocs o fewn modfedd neu ddwy i'w wyneb a chadwai o draw drwy wthio'i law yn erbyn ei drwyn. Gwyddai na allai ei atal am hir. Gwyddai fod rhaid gwneud rhywbeth ar frys. Gwthiodd ei law dan fol y bolocs. Cydiodd mewn pibell hir feddal. Roedd coc y bolocs yn ei law gyhyrog. Rhoddodd blwc iddi. Llaciodd ewinedd y bolocs yn ei 'sennau. Rhoddodd blwc arall a rhoddodd y bolocs ochenaid. Gwasgodd ei blaen a chafwyd sgrech o geg yr anghenfil. Tynnodd hi'n dynnach a thynnach, gan ei ysgwyd o ochr i ochr. Gwaeddai'r bolocs mewn poen a thaflai ei grafangau i gyfeiriad Bongo, ond gan fod ei lygaid ynghau methu eu targed wnaent yn bennaf. Roedd Bongo'n llanc cyhyrog. Roedd wedi cael sawl ysgarmes yn ei dref enedigol, ond yr un mor filain â hon. Onid oedd y bolocs yn ddwywaith ei faint, onid oedd ganddo ddwy bawen llawn ewinedd miniog? Roedd hyn fel ymladd efo chwech o fechgyn Maesgeirchen a'r rheiny â chyllell bob un.

Ond, fel y gŵyr pob bachgen, pan mae rhywun yn gwasgu'r cledda'n dynn, dydy rhywun ddim ar ei orau. Ac felly'r bolocs. Roedd y bolocs ymysg y creaduriaid mileiniaf yn y bydysawd, ond gyda Bongo'n gwasgu ac yn tynnu ar ei gwd, collodd ei gryfder. Aeth yn wan fel cath, ac yn raddol disgynnodd i'r llawr. Cydiodd Bongo mewn carreg fawr a'i gollwng ar ei ben. Gwasgwyd pen y creadur gyda'i gynnwys yn tasgu o'i gwmpas. Roedd yn farw.

Doedd fawr o siâp ar Bongo chwaith. Roedd archollion dyfn yn ei ochrau a chripiadau ar ei wyneb a'i frest. Ac roedd wedi ymlâdd. Yn raddol, disgynnodd ar ei liniau. Dechreuodd pobman droi fel top a theimlai ei hun yn llithro i'r llawr.

Chwap! Disgynnodd fel lleden. Ond nid effaith yr ymladdfa oedd yn gyfrifol am hynny. Roedd pastwn caled wedi'i daro ar ochr ei ben. Tra gorweddai Bongo yn swp diymadferth wrth ochr y nant, roedd cysgod mawr du uwch ei ben. Asol! Fo oedd perchen y pastwn a fo roddodd ei flas i Bongo. Roedd Asol wedi clywed sŵn yr ymlad ac wedi dychwelyd, ac fel pe bai ei weddïau wedi'u hateb, yno gwelodd Bongo yn ymladd â bolocs gwyllt. Roedd yn gobeithio mai'r bolocs fyddai'n fuddugol ac y byddai dim Bongo mwyach. Ond nid felly y bu a bu raid iddo ddefnyddio'i bastwn. Cododd Bongo oddi ar y llawr a'i roi ar draws ei ysgwydd cyn ei gario i lawr i'r dref.

Roedd tyrfa wedi ymgasglu o flaen tŷ Niblo pan gyrhaeddodd Asol a'i ysglyfaeth. Curodd pawb eu pengliniau mewn gorfoledd. Onid oedd Bongo wedi eu sarhau drwy ddianc gyda caethferch i'r bryniau? Agorodd y drws a daeth y pennaeth allan.

'Niblo. Dyma fo, mi rydw i wedi dal Bongo!'

'Da iawn, Asol. Da iawn. Cefaist gryn drafferth rwy'n gweld, mae'r Daearddyn yn archollion drosto.'

Ddywedodd Asol ddim. Camodd JP ymlaen. 'Mae o wedi hanner ei ladd o, Niblo! Doedd dim angen hynny. Ga i fynd ag o i'r tŷ i'w wella. Mi gei di air efo fo wedyn.'

I'r Twll Du roedd Niblo wedi bwriadu i Bongo fynd, ond cytunodd i JP gymryd gofal ohono ar yr amod bod dynion Asol yn gwarchod pob drws a ffenest. Cafodd JP gymorth Ijiffani i lusgo Bongo i'r tŷ a'i roi i orwedd ar ei hamoc.

Bu Bongo'n anymwybodol am beth amser ond daeth ato'i hun yn raddol. Agorodd ei lygaid, yna ei geg. ''Nes i ladd ffwc o folocs mawr, JP,' meddai.

Ysgydwodd JP ei ben. Roedd y creadur bach yn ffwndro ar ôl cael ei daro. 'Restia di am 'chydig, Bongo. Mi fyddi di'n well wedyn.'

Ond cododd y claf ar ei eistedd. 'Lle ma' Myll? I mi gael deud yr hanas wrtho fo.'

Doedd gan JP ddim calon i ddweud wrtho bod Myll yn y Twll Du unwaith eto, ac mae'n debyg mai yno fyddai'r ddau ohonynt hwythau hefyd os na fyddai pethau'n gwella.

*   *   *

Doedd dim allai Myll ei wneud i gysuro Taitas. Roedd hi'n rhyw fath o grio, yn udo fel ci a dagrau'n rhedeg allan o'i chlustiau. Yr unig beth a ddywedai oedd, 'O'r cywilydd! Cywilydd!'

'Ia, rhag cwilydd i'r basdads am roid ni yn fan'ma,' meddai Myll gan geisio cydymdeimlo â hi. Rhoddodd ei fraich amdani ac am unwaith doedd gan Taitas ddim diddordeb yn ei goc a chafodd lonydd. 'Am faint wyt ti'n feddwl wnân nhw'n cadw ni'n fan hyn?' gofynnodd Myll.

Ond allai Taitas ddim ateb, dim ond nadu a chrio a chydio'n dynn ym mariau'r gell. Gwnâi hyn i'r bolocs ffyrnigo ac roedd hwnnw'n mewian dros y dyffryn. Roedd y sŵn yn fyddarol ac allai Myll ddim cysgu.

'Esu, Taitas bach. Rho'r gora iddi; mi rwyt ti'n gneud i'r peth mawr hyll 'na wneud sŵn,' meddai. Ond wnaeth hi ddim. Rowliodd Myll i fyny fel pelen a cheisiodd gysgu yn un o gorneli'r Twll Du. Gan nad oedd o'n debyg o adael y lle am beth amser – os o gwbl – doedd waeth iddo wneud ei hyn yn gyffyrddus.

*   *   *

Roedd Bongo'n dal i fynnu ei fod wedi lladd bolocs ac roedd JP wedi cael llond bol arno. Gadawodd i Ijiffani edrych ar ei ôl ac aeth allan. Roedd un o'r ddwy leuad werdd yn dechrau codi ac roedd y dref yn cael ei boddi gan ryw wawl werdd. Pryd uffar gâi o fynd adra o fan'ma oedd ar feddwl JP wrth iddo wrando ar Ijiffani'n ffysian efo Myll.

Ond fuodd o ddim yn meddwl yn hir. Gwelodd ddau o

ddynion Niblo'n brasgamu i'w gyfeiriad. Beth uffar sydd rŵan? Ydyn nhw'n mynd â Bongo i'r Twll Du at y ddau arall?

Na, JP roedden nhw eisiau. Syrthiodd ei galon. Oedd o'n mynd i'r Twll Du, ynteu gwaeth? Oedd yna ryw gosb waeth ar y blaned hon? Brysiodd rhwng y ddau Nocsun tuag at dŷ Niblo. Roedd gan hwnnw ddarn o bapur yn ei law. Ei ddedfryd?

Ond gwenu o ryw fath wnaeth Niblo. Eisteddodd ar un o'r cadeiriau plastig pinc gan ofyn i JP wneud yr un modd. 'Sut mae Bongo, Jê-Pî?' gofynnodd.

'Ym, iawn. Dydy o ddim gwaeth. Mae o wedi arfer cael ei daro ar ei ben adref ar y Ddaear,' atebodd JP.

'Ydy o'n hoffi hynny?' gofynnodd Niblo. 'Os ydy o, mi wnawn ni drefnu hynny'n rheolaidd iddo.'

'Na, na, diolch Niblo,' ond doedd ganddo fawr o awydd ceisio egluro sgarmesoedd Bongo ar y Maes a'r maes rygbi.

Edrychodd Niblo allan drwy'r drws. 'Noson braf, Jê-Pî. Mae'r Ddaear yn bell i ffwrdd . . . '

Nodiodd JP.

'Rydyn ni wedi cael neges o'r Ddaear . . . '

Cododd clustiau JP, ac yna cododd ei gorff o'r gadair. Aeth at Niblo ac edrych ar y darn papur yn ei law, ond doedd o'n deall dim arno. Roedd o'n debyg iawn i bresgripsiwn gafodd o unwaith gan ei ddoctor.

'Mae eich pobol yn gofyn sut ydych chi. Ydych chi'n mwynhau eich hunain yma? Er nad ydyn nhw'n sôn amdanoch chi, Jê-Pî. Dim ond am Myll a Bongo . . . '

'Ia . . . mae'n siŵr eu bod yn gwybod mod i'n byhafio. Poeni am y ddau arall maen nhw.'

Craffodd Niblo ar y papur. 'Maen nhw'n gofyn am faint rydych chi'n mynd i aros yma. Maen nhw fel petaen nhw'n eich disgwyl yn ôl gyda hyn.'

'Bosib iawn,' meddai JP gyda rhyw dinc o obaith yn ei lais.

Roedd Niblo ar ei draed erbyn hyn, yn cerdded yn ôl ac ymlaen. 'Beth am Myll a Bongo?'

Oedd pobol y Ddaear eisiau Myll a Bongo yn ôl? Mae'n siŵr ei bod hi dipyn distawach yng Nghaernarfon ers iddyn nhw adael. Ond roedd rhaid iddyn nhw fynd yn ôl. Allai JP ddim llywio'r llong ofod.

'Mae'n siŵr bod pobol y Ddaear yn edrych ymlaen at eu gweld unwaith eto.'

'Ydy . . . ydy'r ddau'n bobol bwysig ar y Ddaear, Jê-Pî?'

Roedd rhaid dweud celwydd. 'Pwysig iawn, Niblo. Pwysig iawn . . . a dylanwadol iawn. Mi fyddai pobol y Ddaear yn anhapus iawn pe na bydden nhw'n dod adref.'

'Hmmm . . . ' meddai Niblo gan rwbio'i dalcen. Trodd at JP. 'Asol!' gwaeddodd. 'Rhyddhawch Myll ac ewch at Bongo ac ymddiheurwch iddo.'

Edrychodd Asol mewn anghredinedd ar Niblo, ond doedd ganddo ddim dewis ond ufuddhau . . .

14

Doedd gan Bongo ddim syniad am beth roedd Asol yn ymddiheuro. Doedd ganddo ddim syniad fod Asol wedi'i daro ar ei ben efo'i bastwn. Ond roedd Asol yn gorwedd ar ei gefn ar y llawr o flaen Bongo, a dyna sut roedd y Nocsus yn ymddiheuro meddai Ijiffani.

'Welis di fi'n lladd y bolocs?' gofynnodd Bongo.

'Do, Bongo, roeddech chi'n ddewr iawn. Fuasai neb o'r Nocsus wedi meiddio ymladd â bolocs.'

'Coda, myn uffar i. Ti dan draed yn fan'na,' meddai Bongo wedi blino camu dros Asol.

'Rwyf i'n mynd i ryddhau Myll a Taitas rŵan,' meddai.

'Lle mae Myll? Dydy o erioed yn y Twll Du eto?'

Nodiodd Asol. 'Mi fu raid i ni ei roi yno wedi iddo falu'r chwim-gerbyd.'

Chwarddodd Bongo. 'Dreifar cachu fuodd o rioed. Ddo i efo chdi,' a brasgamodd Bongo allan drwy'r drws ac Asol wrth ei sodlau.

'Arhosa'n fan'na,' gorchmynnodd Bongo pan oedden nhw o fewn cyrraedd i'r Twll Du. Aeth Bongo yn ei flaen tuag at y bariau. 'Myll! Ti yna?'

'Ydw, siŵr dduw. Be tisio? Wyt ti wedi dod i fy helpu i ddengid?'

'Na, newyddion drwg sy gen i.'

Aeth Myll yn ddistaw a chlywodd Bongo'i gyfaill yn llyncu'i boer. 'Be?'

'Maen nhw am dy gadw di yma am byth tra dwi a JP yn mynd adra. Ac yn waeth na hynny, maen nhw am dorri dy gwd i ffwrdd 'chos ti'n beryg bywyd i'r Nocsesus!'

'Bongo, plîs,' ymbiliodd Myll oedd erbyn hyn yn cydio'n dynn ym mariau'r Twll Du. 'Plîs, nei di gael fi allan o fan'ma. Dwisio dod adra efo chdi a JP. Mi wna i unrhyw beth i gael dod o fan'ma!'

'Mae hi wedi cachu arnat ti, Myll. Ond . . . ocê, os wnei di addo prynu lysh i fi am byth ar ôl cyrraedd adra, mi wna . . . '

Ond chafodd o ddim gorffen ei frawddeg. Roedd Asol wedi cyrraedd â goriad yn ei law. 'Ydy hi'n iawn i mi eu rhyddhau nhw rŵan?' gofynnodd.

'Y basdad!' gwaeddodd Myll. 'Yn deud clwydda . . . a finna'n meddwl y byswn i'n y ffwc lle yma am byth!'

Roedd bariau'r gell yn agored erbyn hyn a llamodd Myll allan o'r Twll Du ac am Bongo. Cydiodd yn ei wddw a'i wthio i'r llawr. Un peth oedd ymladd bolocs, ond roedd Myll yn fater gwahanol. Onid oedd Myll wedi trechu dynion ddwywaith ei faint yn nhre Caernarfon? Onid oedd o wedi arfer ymladd fel bwystfil, yn defnyddio'i ddyrnau, ei ddannedd, ei ben a'i bengliniau? Ac felly roedd o rŵan.

Ofnai Asol y byddai Niblo'n gweld bai arno fo am adael i'r ddau ladd ei gilydd, felly tynnodd ei bastwn allan unwaith eto, ond y tro yma Myll gafodd ei flas. Disgynnodd i'r ddaear, ond doedd Bongo ddim wedi sylwi fod ei gyfaill allan o'r ffeit. Neidiodd ar ei gefn a'i ddyrnu. Aeth y pastwn i fyny eto gan ddod i lawr a tharo gwegil Bongo. Roedd y ddau'n gorwedd fel dau gadach ar y llawr wrth draed Asol. Cododd y Nocsun y ddau, a'u gosod un ar bob ysgwydd a'u cario i lawr i dŷ Niblo gyda Taitas yn ei ddilyn dri cham ar ei ôl.

Roedd Niblo a JP yn disgwyl amdanyn nhw gan obeithio cael sgwrs gall â'r ddau, ond pan gyrhaeddon nhw roedd y ddau'n dal yn anymwybodol. Gwylltiodd Niblo pan ddeallodd beth ddigwyddodd. Galwodd Asol yn bob enwau, y mwyafrif na chlywsai JP erioed o'r blaen gan na allai ei beiriant cyfieithu eu dilyn. Doedd o erioed wedi gweld Nocsun yn gwyllto cyn hyn. Pobol addfwyn iawn oedden nhw ar y cyfan, ar wahân i

Asol a rhai o'i ddynion.

'Twll Du!' gwaeddodd Niblo. 'Twll Du,' gan gyfeirio'i law at y drws. Cerddodd Asol a'i ben yn ei blu allan o'r tŷ ac am gyrion y dref. Agorodd fariau'r Twll Du ac aeth i mewn gan gau'r giât yn ddistaw ar ei ôl.

Yn raddol daeth y ddau Ddaearwr atynt eu hunain. 'Chdi hitiodd fi'r basdad?' oedd geiriau cyntaf Myll. Goleuodd llygaid Bongo ac roedd ar fin neidio am Myll pan gamodd JP rhyngddynt.

'Hogia bach! Byhafiwch myn uffar i! Ylwch, mae Niblo eisiau i'n dyddiau olaf ni ar Delta Equinox fod yn rhai hapus, yn ddyddiau y gwnawn ni gofio amdanyn nhw am byth; profiad y gwnawn ni ei adrodd i'n cyd-Ddaearwyr yn ôl ar y Ddaear.'

Distawodd y ddau. 'Mynd adra?' gofynnodd Myll.

'Dyna fo. Mae Niblo wedi derbyn negas gan NASA yn dweud ei bod yn bryd i ni gychwyn am adra. Ac mae o isio i ni roi adroddiada da am Delta Equinox ar ôl cyrraedd y Ddaear.'

Myll gododd gyntaf gan sgwario ei sgwyddau. 'O ia? Dim isio i ni ddeud 'i fod o wedi bod rêl basdad efo ni mae o ia? Dim yn rhoi lysh i ni. Taflu fi i'r Twll Du . . . a dim yn gadal i Bongo gal jymp efo'r slyms handi 'ma sy'n tendian ar y Nocsus?'

Pesychodd Niblo gan edrych yn anniddig. 'Ym . . . mae'n ffordd ni o fyw yn . . . wahanol i'ch un chi . . . Camddealltwriaeth oedd popeth. Mae'n ddrwg gen i na chawsoch chi'r croeso oedd yn ddyledus i chi.'

'Diolch, diolch, Niblo,' meddai JP cyn i'r un o'r ddau gael cyfle i rwbio rhagor o halen i'r briw.

Trodd Niblo at y ddau. 'Mi fyddwch yn cychwyn am y Ddaear ymhen dau ddiwrnod. Yn y cyfamser, mi wnawn bopeth posib i wneud eich dyddiau olaf yma'n rhai hapus. Unrhyw beth rydych chi eisiau . . . '

'Lysh . . . '

'Wrth gwrs, Myll, ac mi rydw i wedi gofyn i bennaeth y caethweision fragu lagyr arbennig i chwi. Bydd yma erbyn yfory ac mi gewch yfed hynny a fynnoch.'

Tra oedd Myll yn rhwbio'i weflau, rhoddodd Bongo ei ddymuniad. 'Jiwli a'r merched eraill.'

Roedd hyn yn hollol groes i'r graen i Niblo. Gwasgodd ei bengliniau yn ei gilydd yn galed. 'Iawn . . . iawn, Bongo, os oes raid. Mi gaiff y caethferched ddod i'ch cartref . . . ac mi gewch wneud . . . beth a fynnoch efo nhw.'

Cydiodd Bongo yn ei gwd a neidiodd o gwmpas yr ystafell mewn gorfoloedd.

Roedd hi wedi bod yn ddiwrnod hir ac roedd pennau'r ddau'n dal i frifo ar ôl pastwn Asol ac felly aeth y ddau am yr iglw gwyn ac yn syth i'w gwlâu.

*   *   *

Gwawriodd yr haul coch gan daro'i olau drwy ffenestri tŷ dros dro'r Daearwyr. Myll oedd y cyntaf i ddeffro. Agorodd ei lygaid, yna'i ffroenau. Roedd arogl cyfarwydd yn dod i'r stafell. Cododd o'i hamoc plastig ac aeth i'r lolfa. Lysh! Roedd pentwr anferth o botiau pridd llawn lagyr ar ganol llawr y stafell.

'Bongo! Lagyr! Mae 'na lwyth o lagyr yma! Hen foi iawn ydy Niblo 'ndê.'

Roedd Myll wedi gwagio hanner un pot erbyn i Bongo gyrraedd ac estyn am un ohonyn nhw, ond doedd o ond wedi cael ei gegaid gyntaf pan glywodd sŵn chwerthin y tu allan. Cerddodd at y drws. Yn dod i'w gyfeiriad roedd Jiwli a dwsin o'i chyd-gaethferched. Trodd at Myll. 'Mae 'na slyms ar y ffordd. Mi gawn ni uffar o barti!'

Clywodd JP hefyd sŵn y merched a chododd o'i wely. 'Hogia bach, 'da chi wedi dechra ar y lagyr yn barod. Cofiwch eich bod chi isio mynd â fi'n ôl yn saff i'r Ddaear mewn deuddydd. Dwi'm isio chi gael brethalaisyr yn sbês!' a chwarddodd ar ei jôc ei hun wrth gymryd y pot lagyr yr oedd Myll yn ei wthio tuag ato. 'Diolch,' meddai. 'I'r Ddaear, ac i Gaernarfon,' meddai cyn ei godi i'w geg.

Roedd y merched wedi cyrraedd erbyn hyn ac wedi taflu eu hunain ar y Daearwyr, gan gynnwys JP. Roedd yntau wedi penderfynu y byddai'n ymuno yn y parti. Mae'n amlwg bod Niblo'n pryderu beth fyddai'r tri'n ei ddweud am eu profiadau ar ei blaned. Tybed oedd o ofn i ragor o Ddaearwyr – rhai gwirion a gwyllt fel y ddau oedd efo fo – ddod i Delta Equinox a dial arno? Ar wahân i Asol a'i ddynion a'u pastynau, welodd JP yr un arf o fath allai amddiffyn y Nocsus rhag arfau dinistriol y Ddaear. Tybed allai o ddychwelyd rywbryd efo rhagor o ddynion yr un fath ag o? Dynion busnes. Dynion a allai gymryd mantais ar ddiniweidrwydd y Nocsus. Dynion a allai wneud arian o adnoddau naturiol Delta Equinox? Ond chafodd o ddim cyfle i roi atebion at ei gilydd yn ei ben gan i un o'r caethferched lapio'i hun amdano a gwthio'i gwefusau llawnion i'w rai o. Gorweddodd JP yn ôl a gadael i'r gaethferch wneud beth a fynnai iddo. Clywai Myll a Bongo'n tuchan bob ochr iddo a'r merched yn sgrechian a gweiddi fel pe na baen nhw wedi cael parti o'r fath ers blynyddoedd. Ac mae'n siŵr nad oedden nhw, os o gwbl.

Parhaodd yr yfed a'r tuchan drwy'r dydd ac âi'r pentwr diod yn llai ac yn llai ac o dipyn i beth dechreuodd y Daearwyr ofyn am 'chydig funudau o seibiant gan y merched. Roedd hyd yn oed y merched wedi ymlâdd erbyn i'r cyntaf o'r ddwy leuad werdd godi ac mi ddechreuodd y Daearwyr feddwl y byddai rhywbeth i'w fwyta'n gwneud lles iddyn nhw. Ond doedd dim rhaid meddwl yn hir. Wrth i'r criw orwedd â'u cefnau ar waliau plastig y tŷ, daeth arogl bolocs rhôst yn nes ac yn nes ac yna daeth rhesaid o Nocsus i'r golwg pob un yn cario un ai gig neu ffrwythau. Am y tro cyntaf yn eu bywydau roedden nhw wedi gwneud ychydig o waith.

Cythrodd y criw i'r danteithion a chafodd y potiau lagyr lonydd am ennyd. 'JP,' meddai Myll rhwng cegaid o folocs, 'ti'n gwybod be?' Ond allai hwnnw ddim ateb gan fod ei geg yn llawn o ffrwyth melyn. 'Er yr holl lagyr dwi wedi yfed, dw i ddim wedi piso unwaith.'

'Na fi chwaith,' ychwanegodd Bongo.

'Rarglwydd, 'dydi'ch cocia chi wedi bod yn rhy brysur i biso,' meddai JP wedi iddo lyncu'r ffrwyth.

'Ond mi rydw i rŵan,' meddai Myll.

'A fi, hefyd,' a chododd Bongo i fynd tua'r drws. Roedd y cwt roedd y Nocsus wedi ei godi ar gyrion y dref at wasanaeth y tri yn rhy bell, felly pisodd y ddau i stryd tref y Nocsus gyda rhai o'r trigolion yn edrych yn chwilfrydig ar gampau'r ddau wrth iddyn nhw wneud patrymau ar lwch y lôn.

Roedd y ddau ar fin dychwelyd i'r parti pan glywyd sŵn o'r tu cefn iddynt. 'Hw-iw, hw-iw!' Ijiffani a Taitas oedd yno. 'Ydych chi'n mwynhau eich hunain?' gofynnodd Ijiffani.

'Blydi grêt!' atebodd Myll tra nodiodd Bongo ei ben, a dilynodd y ddwy Nocsan nhw i'r tŷ. Diosgodd y ddwy eu dillad cyn ymuno â'r criw noeth, meddw ac estyn am y ffrwythau. ''Da chi isio lysh?' gofynnodd Myll.

Edrychodd y ddwy ar ei gilydd. 'Ychydig bach,' atebodd Ijiffani. 'Mae pawb i'w gweld yn hapus iawn wedi ei yfed. Wedi'r cwbwl, eich parti ffarwél ydyw.'

Gwthiodd Myll bot i'w cyfeiriad, a dim ond un swig yr un fu raid i'r ddwy Nocsan gymryd cyn i'r lagyr gael effaith arnynt. Effeithiwyd ar eu lleferydd a dechreuodd eu llygaid droi yn eu pennau. Roedd y caethferched wedi dechrau ailafael yn y tri Daearyn ac roedd y ddwy Nocsan yn benderfynol o ymuno yn yr hwyl. Gwthiodd y ddwy i ganol y breichiau a'r coesau oedd ar ben Myll a Bongo ond buan iawn y sylweddolodd y Daearwyr eu bod nhw yno gan fod eu cyrff yn hollol wahanol i rai'r caethferched. Ond be 'di'r ots, parti 'di parti 'ndê!

Pan gododd yr ail leuad, daeth cyflenwad ychwanegol o lagyr i'r tŷ ac am ennyd rhyddhawyd y tri Daearwr tra aeth pawb am y ddiod. Cegaid arall yr un gafodd y ddwy Nocsan a daeth y ffrwythau amryliw i fyny'n un chŵd ar lawr y lolfa. Llafarganai'r ddau Ddaearyn 'Nocsus methu dal eu lysh,' ac ymunodd y caethferched gyda nhw gan ddechrau dawnsio o gwmpas y stafell.

Sigledig iawn oedd coesau pawb erbyn hyn a phan roddodd Jiwli ei throed yn y chŵd doedd dim modd iddi sefyll ar ei thraed; llithrodd i gyfeiriad y drws lle'r oedd Niblo newydd gyrraedd i edrych a oedd y tri Daearddyn yn mwynhau eu dyddiau olaf ar ei blaned. Sgrialodd y Jiwli noeth, siapus, dinboeth tuag at Niblo a'i daro i'r llawr cyn disgyn yn swp ar ei ben. Doedd hi ddim wedi sylwi mai Niblo oedd o; doedd hi ddim wedi sylwi mai Nocsun oedd o a rhwygodd ei wisg i ffwrdd gan obeithio y byddai rhywbeth gwerth ei gael dan y brethyn. Ond doedd dim. Rhedai eu dwylo ar hyd ei gorff llyfn di-flew, di-goc.

Roedd Bongo wedi sylwi bod Jiwli wedi gadael y stafell ac aeth allan i chwilio amdani. 'Blydi hel, Jiwli!' meddai pan welodd beth oedd yn digwydd ar y llwybr o flaen y tŷ. 'Dyro gora iddi, Niblo 'di hwnna! Mi lladdith o ti!' A thynnodd hi oddi ar y pennaeth.

Ni wyddai Niblo beth i'w ddweud na'i wneud. Doedd o erioed wedi gorwedd dan gaethferch o'r blaen – ond doedd hyn ddim yn brofiad amhleserus. Ond caethferch oedd hi wedi'r cwbwl a doedd Nocsus ddim i fod i gyfathrachu â nhw. Cododd ar ei draed. Doedd o ddim eisiau pechu'r Daearwyr, felly tynnodd ei ŵn i lawr, rhoddodd ei law drwy'r blew du trwchus ar ei wyneb a gofynnodd sut oedd y parti'n mynd.

Atebodd Bongo mohono ond cydiodd yn llaw Niblo a'i dywys i'r tŷ. Y peth cyntaf a welodd o oedd ei Frenhines Ijiffani'n gorwedd yn ei chŵd a Taitas a'i cheg yn agored yn rhochian cysgu ar bentwr o ffrwythau slwj.

'Mmm . . . mae'n . . . barti da . . . '

Ceisiodd JP godi. 'Niblo, mae . . . mae hwn yn uffar o barti. Wyt ti am joinio ni?'

Ond doedd gweithgaredd o'r fath ddim at ddant y pen Nocsun. Trodd ar ei sawdl a diflannodd yn ôl i'w dŷ.

'Myll, mae'r holl ffrwytha 'ma'n rhoi'r bîb imi,' meddai Myll rywbryd yn ystod y bore.

'A finna hefyd. Lle uffar gawn ni gachu?'

Roedd JP yn dechrau deffro. 'Wel tydach chi ddim yn cael cachu yn fan'ma na thu allan i'r tŷ! Cerwch i'r lle mae Niblo wedi'i baratoi i ni.'

Cododd y ddau'n anfoddog a brysio tuag at gyrion y dref lle'r oedd y Nocsus wedi codi geudy arbennig i'r tri. Ond wrth nesáu, gwelodd Myll, o bell, y bolocs oedd yn gwarchod y Twll Du. 'Mae gen i syniad,' meddai, ac aeth y ddau heibio'r geudy ac i gyfeiriad y bolocs.

'Asol! Wyt ti yna?' gofynnodd Myll.

'Ydw. Myll sydd yna? Diolch am ddod i'm gweld,' meddai Asol yn llawer mwy gwylaidd nag arfer.

'Croeso,' meddai Myll. 'Mae gan Bongo a finna rywbeth iti.'

Daeth Asol yn nes at y bariau fel y gallai weld y ddau, ond erbyn hynny roedden nhw wedi codi eu dillad ac yn anelu eu tinau tuag at y Nocsun caeth.

Er mwyn gofyn 'beth?' bu raid i Asol agor ei geg a dyna pryd y gwaeddodd Myll 'Rŵan!' ac anelodd y ddau gynnwys sesiwn y diwrnod cynt i geg y Nocsun.

Doedd Asol wedi gweld na phrofi dim o'r fath o'r blaen, ond gwyddai ei fod yn beth anghynnes. Taflodd y bariau'n agored ac wrth iddo gamu allan ar ôl y ddau gwaeddodd, 'Mi'ch ca' i chi am hyn!' wrth geisio sychu ei wyneb.

Trodd y ddau Ddaearyn ar eu sodlau a gwibio i lawr y bryn tuag at y dre. Gollyngodd Asol y bolocs a rhedodd y ddau ar eu holau. Wedi dau ddiwrnod o ryw a chwrw, doedd y ddau ddim mewn cyflwr i ymladd Asol a'r bolocs, felly dyma redeg am eu cartref plastig. Roedd JP yn dal i orwedd ar lawr y lolfa pan gyrhaeddon nhw. 'Dim mwy o lysh!' meddai wrth wthio dwy o'r caethferched i ffwrdd. 'Na secs chwaith. Dwi wedi cael digon a dwisio mynd adra.'

'JP! Mae Asol a'i folocs ar ein hola ni!'

'Be uffar 'da chi wedi'i wneud i hwnnw rŵan?' meddai gan godi o'r llawr.

Ond chafodd yr un o'r ddau gyfle i egluro oherwydd daeth

wyneb budr Asol i'r drws. 'Ylwch, Jê-Pî, beth maen nhw wedi'i wneud! Maen nhw wedi chwistrellu'r stwff brown afiach yma i fy wyneb!'

Wyddai JP ddim beth i'w ddweud a doedd dim pwrpas gofyn i'w ddau gyfaill am gadarnhad mai cachu oedd ar wyneb Asol gan eu bod ar eu boliau ar y llawr yn chwerthin. Roedd y caethferched wedi llonyddu ac wedi hel yn un pentwr yn un o gorneli'r stafell. Roedden nhw'n gwybod pa mor filain y gallai Asol fod ac roedd y ffaith fod ganddo folocs milain yn tynnu ar y tennyn yn ei law chwith yn peri iddyn nhw fod yn bur bryderus. Roedd hi'n amlwg i Asol nad oedd y ddau yn cymryd y sefyllfa o ddifrif a gollyngodd y bolocs tuag atyn nhw. Neidiodd y merched drwy'r ffenest a rhedeg i'r bryniau am eu heinioes. At Myll yr aeth y bolocs ond cyn i'w gyfaill allu rhoi help iddo drechu'r bwystfil roedd Asol wedi neidio at Bongo. Chafwyd erioed sgarmes mor filain ar Delta Equinox. Doedd dim i'w weld ond pentwr o ewinedd, dyrnau a chroen yn un pentwr mawr gwyllt. Achubodd JP ar ei gyfle i ddilyn y merched allan drwy'r ffenest.

Yn dod i gyfeiriad y tŷ, roedd haid o ddynion Asol. Roedden nhw wedi'i weld yn brysio tuag at dŷ'r Daearwyr ac roedden nhw'n amau o'i gerddediad fod rhywbeth o'i le. Roedd y bolocs yn farw ar riniog y drws pan gyrhaeddwyd y tŷ a'r ddau Ddaearwr y tu mewn yn waldio Asol. Aeth y Nocsus i achub eu meistr.

Edrychodd JP am yn ôl wrth frysio am dŷ Niblo a gwelodd furiau plastig ei gartref dros dro yn cracio wrth i'r Nocsus a'r ddau Ddaearwr gael eu taflu o un pen i'r stafell i'r llall. Erbyn i JP ddychwelyd efo Niblo roedd criw mawr o Nocsus wedi ymasglu y tu allan i'r tŷ maluriedig. Roedd rhai o'r gwrywon wedi mynd i roi cymorth i ddynion Asol oedd yn graddol gael eu trechu gan Myll a Bongo.

Camodd Niblo dros y cyrff ac aeth i mewn i'r tŷ. Safai Myll a Bongo a photiau lagyr gwag ym mhob llaw yn herio gweddill y Nocsus i ymosod arnynt. 'Tisio stîd hefyd, cont?' oedd cyfarchiad Myll i Niblo ac yna gwibiodd un o'r potiau heibio'i ben. Trodd ar ei sawdl a brysiodd am ei gartref i gynnal cyfarfod brys o'r llys.

*   *   *

'Jê-Pî, mae fy nynion wedi rhoi bwyd a chyflenwad o lagyr yn y llong ofod. Mae hi'n barod i'ch cludo chi'n ôl i'r Ddaear. Ellwch chi, os gwelwch yn dda, gael eich . . . cyfeillion . . . allan o'r tŷ ac i'r cerbyd er mwyn i ni gael gwared â nhw.'

'Wrth gwrs, wrth gwrs, Niblo,' meddai JP gan blygu ei ben mewn cywilydd. 'Mi a' i draw yna rŵan.'

Brysiodd JP at weddillion ei gartref. Roedd y ddau'n dal y tu mewn a haid o Nocsus clwyfedig y tu allan. Deuai sŵn canu meddw o'r tu mewn. Addasiad o un o hen ganeuon Caernarfon. 'Dydy'r shit-lle 'ma ddim digon mawr i'n hogia ni . . . '

'Myll! Bongo! Mae'n rhaid i ni fynd o'ma'n syth. Mi rydach chi wedi creu uffar o lanast. Mae'r sbês-ship yn barod i fynd â ni'n ôl adra. Mae 'na fwyd a diod arni i ni. Newch chi plîs ddod allan . . . a pheidio taro'r un Nocsun.'

'Adra! Blydi grêt!' meddai Myll.

'Deud wrth y Nocsus, JP. Os neith un ohonyn nhw dwtshiad ynddon ni ar y ffordd allan, mi lladdan ni nhw,' meddai Bongo.

Cynghorodd JP y Nocsus i symud yn ôl, yn ddigon pell oddi wrth Myll a Bongo. Daeth y ddau allan â llond eu hafflau o botiau lagyr. Camodd y Nocsus yn ôl mewn braw. 'Ffor'ma, hogia,' meddai JP gan geisio'u harwain i gerbyd âi â nhw at y llong ofod. Camodd y ddau'n sigledig i'r cerbyd a thaniodd Nocsun pryderus yr injan.

'Stop! Stop!' gwaeddodd Myll wrth iddyn nhw fynd heibio tŷ Niblo. Arhosodd y cerbyd. 'Hei, cwd!' gwaeddodd Bongo ond ddaeth neb i'r golwg. 'Tisio lysh?' gwaeddodd wedyn a dechreuodd y ddau daflu botiau tuag at dŷ'r pennaeth.

Gorchmynnodd JP i'r Nocsun ailgychwyn am y llong ofod ac ailddechreuwyd y daith. Dilynai cerbydau eraill o hirbell a phan ddaeth cerbyd y tri at y llong ofod mi ffurfiwyd cylch o'u cwmpas. Daeth bolocs mileinig allan o bob un gan wylio'r tri'n dringo'r ysgol i'r cerbyd. JP oedd yr olaf i fynd i mewn ac wrth iddo estyn am y drws i'w gau, clywyd bloedd gan y Nocsus. Oedd, roedden nhw'n falch o weld y tri'n gadael.

'Wel,' meddai Myll gan droi at Bongo. 'Mi rydan ni wedi cael ein hel o nifer o lefydd, ond dyma'r tro cyntaf i ni gael ein hel o blaned gyfa!'